dumont taschenbücher

Doris Vogel-Köhn, geb. 1944 in Nordhausen/Harz, aufgewachsen in Köln; Studium der Kunstgeschichte, Volkskunde und Historischen Hilfswissenschaften in Köln und Würzburg; Promotion mit einer Arbeit über Rembrandts Kinderzeichnungen. Mitarbeiterin am Zentralinstitut für Kunstgeschichte, München.

Rembrandt

Doris Vogel-Köhn

Rembrandts Kinderzeichnungen

DuMont Buchverlag Köln

Umschlagabbildung Vorderseite: vgl. Kat. Nr. 32
Umschlagabbildung Rückseite: vgl. Kat. Nr. 38

CIP-Kurztitelaufnahme der Deutschen Bibliothek

Vogel-Köhn, Doris:
Rembrandts Kinderzeichnungen / Doris Vogel-Köhn. –
Erstveröff. – Köln : DuMont, 1981.
(DuMont-Taschenbücher ; 102)
ISBN 3-7701-1250-4
NE: Rembrandt ⟨Harmensz van Rijn⟩

Erstveröffentlichung
Die hier veröffentlichte Arbeit folgt im wesentlichen
den entsprechenden Kapiteln der Dissertation
der Verfasserin von 1974

Druck: Rasch, Bramsche
Buchbinderische Verarbeitung: Boss-Druck, Kleve

Printed in Germany ISBN 3–7701–1250–4

Inhalt

Vorwort

Der vorliegende Band möchte den Leser mit einer Gruppe höchst origineller Handzeichnungen von Rembrandt vertraut machen, die sich alle mit dem Thema »Kind« beschäftigen. In Szenen von hinreißender Lebendigkeit hat der Künstler das Alltagsleben der holländischen Kinder des 17. Jahrhunderts mit seinen charakteristischen, zeitlos gültigen Erlebnisinhalten festgehalten.

Den modernen Betrachter wird vor allen Dingen die ungeheure Vitalität und Spontaneität der dargestellten Situationen und die überraschend psychologische Erfassung kindlicher Eigenheit faszinieren. Den künstlerischen und menschlichen Reiz dieser z.T. wenig bekannten Kinderzeichnungen Rembrandts einem größeren Publikum zu erschließen, ist Aufgabe des Textes, der bewußt anschaulich gehalten ist.

Neben der Charakterisierung der Kinderzeichnungen hinsichtlich ihrer künstlerischen und menschlichen Aussage wird eine zeitliche Einordnung der Blätter in das Gesamtœuvre der Zeichnungen Rembrandts vorgenommen. Da der Künstler fast über seine gesamte Schaffenszeit hinweg Kinder studiert hat, war es naheliegend, das Thema der Kinderzeichnungen zum Anlaß zu nehmen, auch die Stationen der stilistischen Entwicklung der Rembrandtschen Zeichenkunst kurz zu skizzieren.

Hinweis:

Ben. = O. Benesch, The Drawings of Rembrandt, A Critical and Chronological Catalogue. 6 Bde. London 1954–57.

Br. = A. Bredius, Rembrandt, The Complete Edition of the Paintings. London 1969 (The 1935 Edition Revised by H. Gerson).

H. = A.M. Hind, A Catalogue of Rembrandt's Etchings. 2 Bde. London 1923.

HdG = C. Hofstede de Groot, Die Handzeichnungen Rembrandts. Haarlem 1906.

Einleitung

Die knapp 100 Handzeichnungen Rembrandts, die Kinderthemen zum Inhalt haben, befinden sich heute in unterschiedlichen Museen und Sammlungen. Früher aber waren sie möglicherweise in einem Sammelband vereinigt, der in dem Nachlaß des mit Rembrandt befreundeten Marinemalers Jan van de Capelle unter dem Titel »... sijnde het vrouwenleven met kinderen van Rembrant«[1] erwähnt ist.

Entwicklungsgeschichtlich stellen Rembrandts Kinderzeichnungen auf dem Gebiet der Kinderdarstellung etwas vollkommen Neues und auch in ihrer Zeit Einmaliges dar. Das Thema »Kind« erfreut sich zwar in der niederländischen Kunst des 17. Jahrhunderts allgemeiner Beliebtheit, aber Rembrandts Verständnis für die Besonderheiten des kindlichen Seelenlebens wird doch von keinem seiner Zeitgenossen erreicht. Selbst die lebensvollen Kinderbilder eines Frans Hals (Textabb. 1, 3) sind im Vergleich zu Rembrandt (Textabb. 2) eindimensional und legen das Kind nur auf eine Seite seines Naturells, nämlich auf die fröhliche, lebenszugewandte Seite, fest. Bei Rembrandt dagegen erlebt der Betrachter die Kinderpersönlichkeit in ihrer ganzen Vielschichtigkeit.

Während der Künstler in der Malerei nur die Gattung der Kinderporträts behandelt hat – man denke an die unvergleichlich tiefsinnigen Bildnisse von seinem Sohn Titus (Textabb. 32) –, öffnet er sich in seinen Zeichnungen dem Kindergenre. Der Begriff »Genre«, der die Darstellung des Typischen im alltäglichen Leben einer Gesellschaftsklasse, eines Berufes oder eines Lebensalters meint[2], trifft für Rembrandts Kinderzeichnungen allerdings nur bedingt zu, weil sich in ihnen das Typische mit dem Individuellen zu einer Einheit verbindet.

Vermutlich hat Rembrandt die Kinderszenen in seiner nächsten Umgebung beobachtet und sie entweder am Ort niedergeschrieben oder frei aus dem Gedächtnis wiedergegeben. Die Spontaneität des

1 Frans Hals, Amme mit Kind. Um 1620. Öl auf Leinwand. 86 × 65 cm. Berlin (West), Staatliche Museen Preußischer Kulturbesitz, Gemäldegalerie

2 Rembrandt, Familienbild (Ausschnitt; vgl. Abb. 28). Um 1668. Öl auf Leinwand. 126 × 167 cm. Braunschweig, Herzog Anton Ulrich-Museum

künstlerischen Nacherlebens ist dabei so groß, daß eine scharfe Trennung zwischen Naturstudien und freien Zeichnungen, die Naturstudien nachempfunden sind, schwerfällt und oft gar nicht möglich ist.

Nur wenige Zeichnungen können mit einiger Sicherheit als unmittelbar vor dem Modell aufgenommene Naturstudien bezeichnet werden. Hierzu gehören die Kopf- bzw. Porträtstudien Kat. Nr.* 4, 32, 47, 78, 96, die Säuglingsskizzen Kat. Nr. 34, 35, 37, 82 sowie die Zeichnungen von Saskia mit einem Neugeborenen (Kat. Nr. 33, 36, 45) und schließlich die Studie eines schlafenden Jungen (Kat. Nr. 39). Eine weitere Gruppe von Skizzen, in denen ein

* Die angegebene Kat. Nr. verweist auf das *Chronologische Verzeichnis der Kinderzeichnungen* im Anhang und stimmt mit der Abb. Nr. im Bildteil S. 101 ff. überein.

vergleichsweise ruhiges Motiv festgehalten wird, läßt ebenfalls vermuten, daß der Künstler hier Gelegenheit hatte, seine Modelle direkt auf das Papier zu bannen. Man denke beispielsweise an die »Frauengruppe mit Kind vor einem Hauseingang« (Kat. Nr. 20) oder an die zahlreichen Darstellungen von Frauen, die ein Kind in den Armen oder an der Brust halten (etwa Kat. Nr. 2, 3, 16, 17, 19, 22, 24 verso, 25, 26, 29, 41, 43, 51, 61, 68 – 70, 77, 79, 88, 89, 91–95).

3 Frans Hals, Singender Knabe mit Flöte. Öl auf Leinwand. 62 × 54,5 cm. Berlin (West), Staatliche Museen Preußischer Kulturbesitz, Gemäldegalerie (Foto: Jörg P. Anders)

Der weitaus größte Teil der Rembrandtschen Kinderzeichnungen verbindet auf sehr geschickte Weise die Elemente einer Studie nach dem Leben mit denjenigen einer freien Zeichnung, in welcher sich Erinnerungen und Phantasie durchdringen.[3]

Eine weitere Eigentümlichkeit der Kinderzeichnungen, die sie als Erinnerungsbilder einer erlebten Wirklichkeit ausweist, ist das zeitliche Moment, das insbesondere in den Zeichnungen der 30er und der frühen 40er Jahre gegenwärtig ist. Vor allen Dingen die Schilderungen von spannungsvollen Ereignissen, etwa im »Ungezogenen Jungen« oder im »Trotzkopf« (Kat. Nr. 6, 12), vermitteln den Reiz des flüchtigen Augenblicks, der blitzartig eingefangen zu sein scheint. Und doch muß Rembrandt diese Szenen, bei denen er zweifellos zugegen war, zwangsläufig aus dem Gedächtnis skizziert haben. Denn selbst dem geübtesten Zeichner wäre es nicht möglich, von einem so augenblickshaften Vorfall, wie er z. B. im »Ungezogenen Jungen« (Kat. Nr. 6) geschildert wird, eine »Momentaufnahme« zu machen.[4] Rembrandt hat sich für dieses Blatt auch sichtlich Zeit genommen, was seine sorgfältige und detaillierte Ausführung beweist. Dennoch ist die Kraft des künstlerischen Nacherlebens so stark, daß keinerlei Distanz zu dem Vorgang spürbar wird.

Selbst dort, wo man annehmen möchte, daß Rembrandt, noch während er die Kinder beobachtete, zur Zeichenfeder gegriffen hat – man denke etwa an das »Kind, das mit einem Buch spielt« oder an das »Kind am Laufriemen« (Kat. Nr. 67, 71) –, wird man davon ausgehen müssen, daß er die unablässig in Veränderung befindlichen Szenen während der Arbeit als Bild im Gedächtnis festhalten mußte. Auch die mehrfach geübte Wiederholung besonders reizvoller Motive – z. B. »Die Pfannkuchenbäckerin« (Kat. Nr. 8, 9) oder »Das furchtsame Kind« (Kat. Nr. 23, 24 recto) – zeigt deutlich, daß es sich um nachträgliche Niederschriften, um Variationen eines Themas handeln muß.

Zwei Kinderzeichnungen können eindeutig in die bei Rembrandt nur selten anzutreffende Kategorie der Vorstudien für Gemälde oder Radierungen eingeordnet werden: die für das Dresdener Gemälde »Raub des Ganymed« (Br. 471) aus dem Jahre 1635 (Textabb. 8) entworfene Skizze (Kat. Nr. 5) und die Kreidestudie von einem schlafenden Kind in der Wiege (Kat. Nr. 82), die für das Leningrader Bild »Die Heilige Familie« (Br. 570) von 1645 gemacht worden ist (Textabb. 26). Drei weitere Blätter können nur vermutungsweise als Vorstudien für Radierungen in Anspruch genommen werden. Dabei handelt es sich um die Zeichnung »Der Prophet Elia und die Witwe von Zarphath« (Kat. Nr. 7), deren Vordergrundszene in der Radierung »Die Pfannkuchenbäckerin« (H. 141) wiederkehrt, und um die beiden Studien von einer armen Frau (Kat. Nr. 57, 58), die möglicherweise zu den vorbereitenden Skizzen zum sogenannten »Hundert-Gulden-Blatt« (H. 236) gehören.

Alle anderen Kinderzeichnungen enthalten spontane Äußerungen über Gesehenes und Erlebtes, die in ihrer raschen, skizzenhaften Niederschrift durchaus privaten Charakter haben.

Diese ganz persönlichen Künstlernotizen haben schon im 17. Jahrhundert Liebhaber und Käufer gefunden, wie das Beispiel Jan van de Capelles zeigt. Gewiß hat Rembrandt auch einige Kinderzeichnungen im Hinblick auf den Verkauf angefertigt. Die besonders sorgfältig ausgeführten und auf bildmäßige Geschlossenheit bedachten Stücke – etwa »Der ungezogene Junge« oder »Der Stern der Könige« (Kat. Nr. 6, 72) – legen eine derartige Vermutung nahe. Aber diese Blätter bilden doch die Ausnahme. Die meisten Kinderzeichnungen sind offensichtlich absichtslos, aus einem inneren Bedürfnis heraus entstanden.[5] Sie geben daher einen einzigartigen Einblick in das persönliche Verhältnis des Künstlers zum Kind.

Die zeitliche Einordnung der Kinderzeichnungen in das Gesamtœuvre der Rembrandtschen Zeichenkunst mußte in der vorliegenden Arbeit neu durchdacht werden, weil die Veröffentlichung der Tauf- und Sterbeurkunden von Rembrandts Kindern durch I. H. van Eeghen im Jahre 1956 die bisherige Datierung einiger Schlüsselzeichnungen in Frage gestellt hat.[6] Noch in der Gesamtausgabe der Zeichnungen Rembrandts von Otto Benesch werden einige wichtige Kinderdarstellungen der 30er Jahre mit Rembrandts eigenen Kindern in Verbindung gebracht. Seit I. H. van Eeghens Urkundenfunden wissen wir jedoch, daß die auf dieser Auffassung fußenden Datierungen zumindest fragwürdig geworden sind, weil die Kinder, die dem Künstler in den 30er Jahren geboren wurden, so früh verstorben sind, daß sie für die meisten Kinderdarstellungen als Modell nicht in Betracht kommen. Damit ist es notwendig geworden, die bisherigen Datierungen auf ausschließlich stilkritischem Wege neu zu überdenken.

Grundlage für die Datierung war im wesentlichen eine kleine Zahl datierter oder anderweitig zeitlich gesicherter Zeichnungen, die jeweils an den Anfang der Darstellung der einzelnen Perioden im Text gestellt worden ist. In Ausnahmefällen konnten auch datierte Gemälde oder Radierungen Hinweise bieten.

Die Datierung der einzelnen Zeichnungen wurde im Gegensatz zu Benesch nicht auf ein bis zwei Jahre genau festgelegt, sondern bewegt sich zumeist in einem breiteren Zeitraum, der bis zu fünf Jahre betragen kann. Nur wenn sich sehr enge stilistische bzw. motivische Übereinstimmungen mit datierten Zeichnungen, Radierungen oder Gemälden ergaben, wurde eine engere Datierung vorgenommen. Die Verfasserin geht dabei von der Auffassung aus, daß eine zu eng gefaßte Datierung kaum der Vielseitigkeit eines Künstlers wie Rembrandt gerecht würde. Über die von der Verfasserin vorgeschlagenen Datierungen informiert ein chronologisches Verzeichnis der Kinderzeichnungen Rembrandts, das dem Abbildungsteil folgt.[7]

Da Rembrandt sich mit dem Thema der Kinderzeichnungen von den 30er Jahren an bis in die 60er Jahre hinein beschäftigt hat – wenn auch in den letzten beiden Jahrzehnten auf wenige Beispiele beschränkt –, bietet der Gesamtkomplex ein eindrucksvolles Bild seiner künstlerischen Entwicklung. Vier große Stilabschnitte, die zugleich Akzentverschiebungen in der menschlichen Aussage erkennen lassen, zeichnen sich in der Folge der Blätter ab. Ihre zeitlichen Begrenzungen, die hier hilfsweise auf genaue Jahreszahlen fixiert werden müssen, sind selbstverständlich fließend zu denken und werden von den Datierungen z. T. bewußt überschnitten:

Periode I (um 1634 – um 1638): Barocke Stilphase
Periode II (um 1639 – um 1643): Stilistische Neuorientierung an der Renaissance-Kunst
Periode III (um 1644 – um 1650): Vorbereitung des Spätstils
Periode IV (um 1650 – 1669): Der reife Spätstil

Die vielleicht etwas ungewöhnliche Begrenzung der beiden ersten Perioden ergab sich durch folgende Überlegungen: Die ersten gesicherten Kinderzeichnungen stammen aus dem Jahre 1635; auch die frühesten Beispiele (Kat. Nr. 1–4) schließen sich an den Stil dieser Zeit noch so eng an, daß man sie allenfalls ein Jahr zurück datieren kann. Damit kommt man auf das Jahr der Eheschließung Rembrandts, das offenbar für das einsetzende Interesse des Künstlers an dem Thema »Kind« bedeutungsvoll war.

Im Jahre 1639 ist stilistisch ein deutlicher Wendepunkt zu beobachten, der durch datierte Zeichnungen gut belegt ist. Während die erste Periode ungefähr mit der sogenannten »barocken« Phase des Künstlers übereinstimmt, macht sich in der zweiten Periode eine Neuorientierung an klassischen Stilprinzipien des 16. Jahrhunderts auch im Bereich der Kinderzeichnungen bemerkbar. Diese zweite Phase ist etwa bis in das Jahr 1643 zu verfolgen. Ein zeitlicher »Angelpunkt« für dieses Jahr ist die Hintergrundszene der datierten Radierung »Das Schwein« (H. 204).

Für die dritte Periode haben wir wiederum zwei gesicherte Kinderzeichnungen, die die stilistische Weiterentwicklung markieren, und zwar das »Kind in der Wiege« (Kat. Nr. 82) und die »Bettlerfamilie« (Kat. Nr. 86) aus den Jahren 1645 und 1647. Der Stil dieser beiden Zeichnungen entspricht deutlich einer anderen Stufe als etwa der, den die Radierung »Das Schwein« (H. 204) – unter Berücksichtigung der unterschiedlichen Technik – repräsentiert.

Der reife Stil der Spätzeit beginnt sich etwa um 1650 abzuzeichnen. Für die letzten beiden Jahrzehnte empfahl sich keine weitere Unterteilung mehr, da nur noch sehr wenige Kinderzeichnungen aus dieser Zeit auf uns gekommen sind, und die künstlerische Absicht zudem unverändert auf zunehmende Verinnerlichung und Vergeistigung des Themas gerichtet ist.

Die späteste uns bekannte Kinderzeichnung, das um 1659–62 entstandene Blatt »Unterricht im Laufen« (Kat. Nr. 99), ist jedoch nicht Rembrandts letzte Kinderdarstellung. Seine letzte Äußerung zum Thema »Kind« – die wir wohl in dem Braunschweiger Familienbild (Br. 417) vor uns haben – war der Malerei vorbehalten (Textabb. 2, 28).

1 Barocke Stilphase (um 1634 – um 1638) – »die meeste ende die naetuereelste beweechgelickheijt«

Rembrandts Interesse an dem Thema »Kind« scheint unter dem Eindruck der jungen Ehe mit Saskia van Uylenburgh, die am 22. Juni 1634 geschlossen wurde, geweckt worden zu sein.[8]

Es ist wohl kaum zufällig, daß das Auftreten der ersten Kinderzeichnungen in die Zeit der Familiengründung Rembrandts fällt, in welcher die Erwartung eigener Kinder die Phantasie des Künstlers beschäftigt haben wird. In den folgenden Ehejahren wurden Rembrandt vier Kinder geboren, von denen allerdings nur der kurz vor Saskias frühem Tode im September 1641 geborene Titus lebensfähig war. Die immer wieder neu genährte und schließlich erfüllte Hoffnung auf Nachwuchs hat den Vater offenbar in dieser Zeit für das Thema »Kind« besonders empfänglich gemacht, denn aus den 30er und den frühen 40er Jahren ist eine außerordentlich dichte Folge von Kinderzeichnungen erhalten. Mehr als zwei Drittel aller Blätter stammt aus dieser Epoche. In Anbetracht dessen erscheint der vielfach unternommene Versuch, nach Wiedergaben eigener Kinder zu forschen, um auf diesem Wege Anhaltspunkte für die Datierung der Kinderzeichnungen zu gewinnen, nur zu verlockend.[9]

Seit den Urkundenfunden von I. H. van Eeghen, aus denen hervorgeht, daß die ersten drei Kinder Rembrandts – Rumbartus, Cornelia I und Cornelia II – nur wenige Monate gelebt haben, wissen wir jedoch, daß wir in den 30er Jahren, von Säuglingsdarstellungen abgesehen, nicht mit der Wiedergabe eigener Kinder zu rechnen haben.[10]

Die z. T. sehr individuell charakterisierten Kinderpersönlichkeiten, die uns gerade in den 30er Jahren in den Rembrandtschen Zeichnungen begegnen – etwa im »Ungezogenen Jungen« (Kat. Nr.

4 Jan Vermeer van Delft, Straße in Delft. Um 1659/61. Öl auf Leinwand. 54,5 × 44 cm. Amsterdam, Rijksmuseum

5 Rembrandt, Skizze nach: Leonardo da Vinci, Das letzte Abendmahl. 1635. Feder in Bister, laviert, weiße Deckfarbe. 12,8 × 38,5 cm. Berlin (West), Staatliche Museen Preußischer Kulturbesitz, Kupferstichkabinett, KdZ 3769 (Foto: Jörg P. Anders)

6), im »Trotzkopf« (Kat. Nr. 12) oder in dem »Schlafenden Jungen« (Kat. Nr. 39) – müssen fremde Kinder wiedergeben, die Rembrandt wahrscheinlich in seiner näheren Umgebung beobachtet hat. Gelegenheit dazu dürfte er in ausreichendem Maße gehabt haben, wenn man bedenkt, daß das familiäre Leben in Holland sich z. T. im Freien, d. h. vor den Haustüren auf der Straße (Textabb. 4) abgespielt hat. Die wunderschönen Skizzen, die Rembrandt von Frauengruppen mit Kindern vor der Türe eines Hauses gemacht hat (z. B. Kat. Nr. 1, 20, 21), vermitteln ein anschauliches Bild davon.

Da alle Identifizierungsversuche der in den Jahren 1635–1642 in Frage kommenden Säuglingsdarstellungen notwendigerweise hypothetisch sind und allenfalls im Anschluß an die stilkritische Einordnung der Blätter vorgenommen werden können, wird in der vorliegenden Arbeit auf neuerliche Identifizierungsvorschläge verzichtet.

Aus der Periode 1634–1638 haben wir sechs Kinderzeichnungen, deren Datierung auf Grund enger Verbindungen mit datierten Gemälden und Radierungen als gesichert gelten kann. Es sind dies die Entwurfszeichnung (Kat. Nr. 5) für das 1635 datierte Gemälde »Raub des Ganymed« (Br. 471; Textabb. 8), die mit diesem Blatt eng verbundene Berliner Zeichnung »Der ungezogene Junge« (Kat. Nr. 6), die in Zusammenhang mit der ebenfalls 1635 datierten Radierung »Die Pfannkuchenbäckerin« (H. 141; Textabb. 9) stehenden Zeichnungen (Kat. Nr. 7–9) und das mit der Radierung (H. 145) aus dem Jahr 1636 zusammenhängende Studienblatt (Kat. Nr. 33). Mit Hilfe dieser Blätter, denen weitere Stücke einwandfrei zugeordnet werden können, läßt sich unschwer ein klares stilistisches Bild von der 1. Epoche der Kinderzeichnungen gewinnen. Als Datierungsstütze für die Periode 1634–1638 kommen darüber hinaus für die Kinderzeichnungen folgende datierte oder in Verbindung mit anderen gesicherten Werken zeitlich festgelegte Zeichnungen in Betracht:

1 »Christus unter seinen Jüngern« (Ben. 89) – signiert und 1634 datiert;
2 »Männliches Bildnis« (Ben. 433) – signiert und 1634 datiert;
3 »Skizze im Album des Burchard Grossmann« (Ben. 257) – 1634 datiert;
4 Skizze nach Leonardos »Abendmahl« (Ben. 445) – signiert und 1635 datiert; (Textabb. 5);
5 »Abrahams Opfer« (Ben. 90) – Skizze zu dem 1635 datierten Gemälde in Leningrad (Br. 498);
6 »Die Judenbraut« (Ben. 292; Textabb. 11) – für die 1635 datierte Radierung (H. 127) entworfen;
7 »Elefantenstudie« (Ben. 457) – signiert und 1637 datiert (Textabb. 12);
8 »Frau und Orientale« (Ben. 168) – Studie zu der 1638 datierten Radierung (H. 160);
9 »Frau im Bett« (Ben. 169) – für die Figur der Rachel in der 1638 datierten Radierung (H. 160) verwendet.

Im Gesamtschaffen Rembrandts gilt die Epoche um die Mitte der 30er Jahre allgemein als die barocke Periode. In dieser Zeit kommt Rembrandt den künstlerischen Bestrebungen der in den Niederlanden vorherrschenden flämischen Kunstrichtung am nächsten. Bekanntlich versuchte er in seinem Passionszyklus für den Statthalter Frederick Hendrick in Konkurrenz mit Rubens zu treten, dessen berühmte Komposition der Antwerpener »Kreuzabnahme« (Textabb. 6) er sogar für eine eigene Darstellung desselben Themas auswertete (Textabb. 7). Für die Kinderzeichnungen dieser Zeit ist der Niederschlag barocker Tendenzen von höchster Bedeutung.

Rembrandts künstlerisches Schaffen in dem Zeitabschnitt um 1634–1638 zeigt sich ferner von der realistischen Auffassung der niederländischen Caravaggisten beeinflußt. Auch dieser Zug ist für die Kinderzeichnungen äußerst charakteristisch. Eine dritte, die Stilphase um die Mitte der 30er Jahre bestimmende Komponente ist Rembrandts Auseinandersetzung mit der Renaissance, die in den

Zeichnungen nach Leonardos »Abendmahl« (Ben. 443–445; vgl. Textabb. 5) aus dem Jahre 1635 eindrucksvoll belegt ist.

Das Verhältnis zu den Stilprinzipien der Renaissance ist in den 30er Jahren zunächst noch vorwiegend durch einen Prozeß barocker Umformung (vgl. Ben. 443–445) oder gar drastischer Ironisierung (vgl. Kat. Nr. 5) klassischer Vorbilder gekennzeichnet.

Dennoch sind auch in den Zeichnungen der 30er Jahre, insbesondere in den Kinderzeichnungen mit vergleichsweise lyrischem Gehalt, Renaissance-Vorstellungen wirksam – freilich in unverkennbar niederländischem Ton vorgetragen. Man denke etwa an die klassischen Dreieckskompositionen der Mutter-Kind-Gruppen (Kat. Nr. 18, 19, 22).

Im Mittelpunkt der spannungsvollen Auseinandersetzung Rembrandts mit der Renaissance-Kunst steht die humoristische Umformung des in Antike und Renaissance überaus beliebten Ganymed-Themas zu einer dramatischen Kinderszene. Die Entwurfszeichnung (Kat. Nr. 5) zu dem 1635 datierten Dresdener »Raub des Ganymed« (Br. 471; Textabb. 8) soll hier an den Anfang der Betrachtung der ersten Periode der Kinderzeichnungen gestellt werden, da wir mit ihr ein zeitlich gesichertes und für die Datierung überaus wichtiges Zeugnis erster Beschäftigung mit dem Thema »Kind« haben. Die künstlerischen Absichten der Zeit um 1634–1638 können hinsichtlich der Kinderdarstellung gerade an diesem Blatt besonders gut exemplifiziert werden, weil Rembrandt hier ganz bewußt ein Thema aus dem Bereich mythologischer Idealvorstellungen – das traditionsgemäß keine Kinder-, sondern eine Jünglingsdarstellung erfordert hätte – in ein nahezu reales Kindererlebnis umgewandelt hat. Überdies verarbeitet er in dem Ganymed-Entwurf den Eindruck einer Kinderszene, den er in der bekannten Berliner Zeichnung »Der ungezogene Junge« (Kat. Nr. 6) festgehalten hat.

Dem anmutigen Jüngling, von dem die Mythologie der Antike erzählt, daß Zeus ihn um seiner Schönheit willen in Gestalt eines Adlers in den Olymp entführt habe, hat Rembrandt die Züge des dicken kleinen Jungen der Berliner Zeichnung gegeben, dessen verheultes Gesichtchen nichts vom antiken Schönheitsideal verrät.

7 Rembrandt, Die Kreuzabnahme. Um 1633. Öl auf Holz, oben gerundet. 92 × 69,3 cm. München, Bayerische Staatsgemäldesammlungen, Alte Pinakothek

6 Peter Paul Rubens, Skizze für die Antwerpener »Kreuzabnahme«. London, The Courtauld Institute of Art

Möglicherweise hat Rembrandt die klassische Formulierung des Stoffes von Correggio gekannt und bewußt persifliert.[11] Während Correggio den Jüngling in vollendeter körperlicher und seelischer Harmonie mit dem Adler in den Olymp entschwebend darstellt, führt Rembrandt das dramatische Entführungserlebnis eines Kindes vor, dessen Situation deutlich an diejenige des im mütterlichen Zugriff widerwillig strampelnden und zornig brüllenden »Ungezogenen Jungen« (Kat. Nr. 6) anknüpft. Das Thema wird damit der Idealsphäre entrückt und in reale Bezüge gebracht.

Ungefähr im Zentrum der Darstellung sehen wir den kleinen Ganymed-Knaben, der eben der elterlichen Fürsorge entrissen worden ist, hilflos in den Adlerfängen zappeln und jämmerlich schreien. Die erschrockenen Eltern sind links unten zu erkennen. Das ikonographisch ungewöhnliche Motiv der zurückbleibenden Eltern ist hervorragend geeignet, die reale Situation des Kindes anschaulich zu machen.

Wiedergegeben ist der Höhepunkt des Geschehens, der ein Höchstmaß an Gefühlsentladung erlaubt. Auf den Gefühlsausbruch des Kindes konzentriert sich das Interesse des Künstlers. Während die Randzonen nur flüchtig angelegt sind, versucht Rembrandt in dem aufgewühlten Gesichtchen mit einer Vielzahl nicht genau zu konkretisierender Federschwünge, die sich hier spiegelnde Seelenverfassung des Kindes einzufangen. Mit dem Künstler erlebt der Betrachter die Vielschichtigkeit der widerstreitenden Empfindungen, den Schreck, die Angst und das demütigende Gefühl der Hilflosigkeit.

Mit dem Gefühlsaufruhr des Kindes korrespondiert die heftig nach Form suchende, turbulente Zeichensprache, deren grelle Kontrastwirkungen das Geschrei des Kindes förmlich hörbar werden lassen. Auch die spannungsvolle, aus dem Gegeneinander konträrer Richtungsbezüge entwickelte Komposition dient der Steigerung des dramatischen Gehaltes. In der Hauptgruppe verbindet sich die Schräge des schweren Kinderkörpers mit der senkrecht aufsteigenden Flugrichtung des Vogels zu einer dynamischen Aufwärtsbewegung, die auf der rechten Seite durch ein aufwirbelndes Linienspiel verstärkt wird. Kontrapostisch zu der Diagonalstellung des Kindes wirken die in die entgegengesetzte Richtung deutenden Arme der

8 Rembrandt, Raub des Ganymed. 1635. Öl auf Leinwand. 171,5 × 130 cm. Dresden, Staatliche Kunstsammlungen, Gemäldegalerie

Eltern. Diese beiden Figuren, die Rembrandt in dem ausgeführten Gemälde weggelassen hat, tragen nicht unwesentlich zur Dramatisierung des Vorganges bei.[12]

Ihre im ersten Schreck impulsiv hochgerissenen Arme und der den Vogel mit seiner Beute verfolgende Blick verstärken den Eindruck des Jähen, Augenblickshaften. Dem Reiz spontaner Erlebnishaftigkeit dient auch ein so zufälliges Motiv wie das hochgerutschte Kinderhemdchen, das die rundlichen Formen des Kinderkörpers freigibt. Mit derartigen Kunstgriffen gelingt es Rembrandt, das Phänomen der Zeit sichtbar zu machen – ein typisch barockes Anliegen, das auf möglichst unmittelbare Vergegenwärtigung zielt.[13] Die dargestellte Szene, die mit all ihren Zufälligkeiten einer blitzartigen Momentaufnahme gleichkommt, wird vom Betrachter als anhaltender Bewegungsvorgang, d. h. als ein Zeitablauf aufgenommen.

Eine Vertiefung erfahren diese künstlerischen Absichten wiederum im Zeichenstil. Die Macht der Bewegung wird im raschen Zeichentempo sinnlich erfahrbar. Aufschlußreich ist in diesem Zusammenhang die Wiedergabe der zappelnden Kinderbeine. Hier wird der Anschein fortgesetzter Bewegung durch eine Darstellungsweise erweckt, die nicht an der objektiven Form, sondern an ihrem Erscheinungsbild orientiert ist. Wir sehen keine klaren Umrißlinien, sondern temperamentvolle, über die plastische Form hinweggewischte Strichlagen, die das unscharfe, verschwommene Bild schneller Bewegung überzeugend ins Zweidimensionale übertragen.

Dieser von der subjektiven Anschauung genährte Zeichenstil trägt ausgesprochen barocke und zugleich typisch holländische Züge. Die Form wird nicht als etwas Absolutes gesehen, das in seiner plastischen Konsistenz klar erfahrbar bliebe, sondern als optische Erscheinung unter dem Einfluß von Licht und Schatten. So entwikkelt sich die pralle Plastizität der rundlichen Körperformen des Kindes z. B. aus einem lebhaften Wechsel von Hell und Dunkel.

Dem Auge des Betrachters kommt bei einer derartigen Zeichenweise eine ergänzende Funktion zu, denn obgleich eine vollständige Vorstellung von dem Bewegungsvorgang vermittelt wird, geht die formale Wiedergabe z. T. kaum über Andeutungen hinaus. Die

Einheit des Kunstwerkes wird demnach erst in der Vorstellung des Betrachters vollzogen, dessen Phantasie vom Künstler bewußt aktiviert wird.

Die wohl bekannteste und meist diskutierte Kinderzeichnung ist das unter dem Titel »Der ungezogene Junge« geführte Berliner Blatt (Kat. Nr. 6). Zeitlich kann die Zeichnung aufgrund der genannten Beziehungen zu dem datierten »Raub des Ganymed« (Kat. Nr. 5) ziemlich genau um 1635 fixiert werden. Sie dürfte vor der Ganymed-Zeichnung entstanden sein, da diese die aus dem Alltagserlebnis gewonnenen Eindrücke verarbeitet. Auf jeden Fall haben wir dieselbe sehr genau charakterisierte Kinderpersönlichkeit vor uns. Hier erscheint sie in eine typische Zwangssituation aus dem alltäglichen Leben des Kindes verstrickt, deren Zeuge der Künstler vermutlich zufällig geworden ist.

Dargestellt ist ein kleiner Junge, der von seiner Mutter gewaltsam von den Spielkameraden weg ins Haus geschleppt wird. Eine alte Frau, wahrscheinlich die Großmutter, versucht mit mahnend erhobenem Finger begütigend auf das wütend im Arm der Mutter tobende und heftig brüllende Kind einzureden. Währenddessen sehen die beiden Kameraden neugierig und zugleich etwas verlegen zur Türe herein.

Wiederum hält Rembrandt ein Augenblickserlebnis fest, das den Höhepunkt einer dramatischen Entwicklung einfängt und zugleich die vorangegangenen und nachfolgenden Ereignisse erahnen läßt. Denn die im Türrahmen verharrenden Spielkameraden geben deutlich den Grund der Auseinandersetzung an, deren Folgen sich bereits in der unheilverkündenden Miene der Mutter und dem besorgten Ausdruck der Großmutter abzeichnen. Das alles wird so natürlich und lebensnah geschildert, daß der Betrachter das Ereignis ganz unmittelbar mit dem Künstler erlebt und nachempfindet.

Die Charakteristik der einzelnen Figuren verrät ein tiefes Verständnis für menschliche Verhaltensweisen, insbesondere für die Kompliziertheit seelischer Vorgänge im Kind. Der dargestellte Kampf des Jungen um Selbstbehauptung gegenüber den Erwachsenen ist eine zentrale Umwelterfahrung des Kleinkindes. Sehr bezeichnend für die Intensität kindlicher Erlebnisfähigkeit ist die

Heftigkeit der Gemütserschütterung, die den ganzen Körper erfaßt. Mit sicherem Gefühl für die Vieldeutigkeit kindlicher Affektäußerungen beobachtet Rembrandt, wie sich in dem Jungen neben Hilflosigkeit und Wut aufkommende Angst ausbreitet, die im Falle eigenen Schuldverhaltens bei Kindern gewöhnlich verstärkte Trotzreaktionen hervorruft.

Auch die beiden kleinen Burschen im Hintergrund, die als mittelbar Beteiligte und als Beobachter zugleich auftreten, legen ein ganz charakteristisches kindliches Verhalten an den Tag. Sie lassen keineswegs Mitleid mit dem Spielkameraden erkennen, sondern wollen offensichtlich ihre Sensationslust befriedigen, die nicht frei von Schadenfreude ist. Die mitfühlende Großmutter dagegen möchte ausgleichend vermitteln, wird aber naturgemäß zu diesem Zeitpunkt das Ohr des Kindes nicht erreichen.

Die Wirkung des Blattes auf den Betrachter ist von außerordentlicher Komik. Der ausgeprägte Sinn für Humor[14], der uns schon im »Ganymed«-Entwurf begegnete, ist in Verbindung mit der realistischen Beobachtungsweise ein wesentliches Element der Kinderzeichnungen.

Für Rembrandts barockes Empfinden ist es sehr bezeichnend, wie er im »Ungezogenen Jungen« den Reiz der Situationskomik effektvoll zu steigern versteht. Die Komik wird jedoch nicht in erster Linie durch äußerliche Effekte erzielt, sondern sie ist in der Tiefe menschlichen Wesens und menschlicher Verhältnisse begründet. Wenn wir über den ungezogenen Jungen lachen, so belachen wir eigentlich weniger die vordergründig dargestellte Szene als vielmehr das Typische, das Allgemein-Menschliche daran. Man kennt derartige Vorfälle nur zu gut aus eigener Erfahrung. Die ihnen innewohnende Komik beruht auf dem belustigenden Konflikt zweier ungleicher Partner, wobei sowohl das hilflose Aufbegehren des Kindes gegen den Zwang der Verhältnisse als auch der an die Grenzen seiner Autorität geführte Erwachsene zur Erheiterung des Betrachters beitragen. Festzuhalten ist jedoch, daß die Hauptfiguren zwar unfreiwillig der Komik anheimfallen, vom Künstler aber nicht der Lächerlichkeit preisgegeben werden. Rembrandts Humor wendet sich niemals gegen seine »Helden«, er bleibt immer zutiefst menschlich.

Der Spannungsbogen der Handlung ist von Rembrandt mit sicherem Empfinden für echte dramatische Bezüge angelegt worden. Im Mittelpunkt der kleinen »Familientragödie« stehen die beiden Konfliktpersonen, denen jeweils Begleitfiguren zugeordnet sind, die den Konflikt steigern – wie die beiden Spielkameraden – oder zu schlichten versuchen – wie die Großmutter.

Die stufenweise Steigerung der Spannung drückt sich auch in der zeichnerischen Anlage aus. Wie im »Ganymed« nimmt die Intensität der Wiedergabe in verschiedenen Realisationsschichten von den Randzonen bis hin zum Zentrum des Geschehens kontinuierlich zu[15]. Die räumlichen Gegebenheiten, von denen konkret nur ein Wandausschnitt und die Haustüre gezeigt werden, sind vergleichsweise flüchtig angedeutet. Auch die eng um den Kern der Darstellung gruppierten Nebenfiguren sind im Vergleich zur Hauptgruppe summarisch erfaßt. Diese jedoch läßt ein ganz genaues Naturstudium erkennen. Wie das tobende Kind von der Mutter gehalten wird, das entspricht vollkommen den realen Gesetzen körperlicher Bewegung. Um den schweren, nach unten wegrutschenden Jungen halten zu können, mußte die Mutter ein Gegengewicht schaffen, indem sie ihr eigenes Körpergewicht auf den linken vorgesetzten Fuß verlagerte und mit dem leicht nach vorn gebeugten Oberkörper ebenfalls zur linken Seite hin nachgab. Rembrandt muß diesen komplizierten Ablauf von Bewegung und Gegenbewegung, Kraft und Gegenkraft intensiv studiert haben. Wie sehr ihm an einer stimmigen Wiedergabe gelegen war, beweist die sorgfältige Behandlung der für die Klärung des Bewegungsvorganges bedeutsamen Partien an Schultern und Armen der Frau. Auch die Darstellung des heftig bewegten Kinderkörpers verrät ein deutliches Interesse an differenzierter körperlicher Bewegung. Die Kontrastwirkung der ungebärdigen Arm- und Beinbewegungen steigert wirkungsvoll die Vehemenz des elementaren Gefühlsausbruches. Während das linke Ärmchen senkrecht in die Höhe fährt und die kleine Hand sich krallenartig verkrampft, hängt der andere Arm im rechten Winkel dazu hilflos über dem der Mutter. Das Hemdchen, dessen Saum die Mutter im Eifer des Gefechtes mit ergriffen hat, entblößt die kräftigen, stürmisch zappelnden Beinchen – ein Motiv, das Rembrandt auf seine Ganymed-Zeichnung übertragen hat.

Dieselbe Freude an realistischen Zufallswahrnehmungen äußert sich in dem Motiv des herabfallenden Kinderschuhs, das die Szene als flüchtiges Momenterlebnis charakterisiert und ihren dramatischen Gehalt unterstreicht. In dem wütend verzerrten Gesichtchen des Kindes geht die realistische Beobachtung bis ins Detail der einzelnen Falten hinein, die jedoch in großartiger Weise auf abstrakte Linienschwünge reduziert sind.

Wie in der Ganymed-Zeichnung kann man auch hier in jedem Federzug die innere »Logik des Strichs« nachvollziehen.[16] Jeder kleinste Haken gibt mit der Formvorstellung zugleich geistigen Ausdruck. Die aufgeregte, in barocken Schwüngen den Tumult der Szene in sich aufnehmende Zeichensprache ist von innen, aus dem seelischen Nacherleben heraus gesteuert. Dabei werden dem Auge nur Anregungswerte vermittelt, die jedoch in der Zusammenschau von schlagender Aussagekraft sind.

Die atmosphärischen Erscheinungen des Innenraumes haben ebenso wie die dynamische, im Duktus ständig wechselnde Strichführung starken Anteil an der Dramatisierung des Geschehens. Wolken von kräftig gestuften Lavierungen verbinden die Figuren mit dem Raum. Ein greller Lichteinfall von links oben hebt die Hauptgruppe hervor und läßt sie einen langen Schatten an die Wand werfen. Die übrigen Figuren bleiben verschattet im Halbdunkel.

In einem Brief an C. Huygens vom 12. Januar 1639 gibt Rembrandt bezüglich zweier nach drei Jahren Verzögerung endlich fertiggestellter Gemälde aus dem Passionszyklus für den Statthalter Frederick Hendrick als das Ziel seiner künstlerischen Bemühungen »die meeste ende die naetuereelste beweechgelickheijt« an.[17] Diese viel zitierte und unterschiedlich gedeutete Äußerung des Künstlers wird von Emmens wohl mit Recht dahingehend interpretiert, daß Rembrandt mit dem Begriff der »beweechgelickheijt« äußerliche Körperbewegung als Ausdruck innerer Bewegtheit gemeint habe.[18] Das Phänomen der von innen durchseelten äußerlichen Bewegung ist für die Kinderzeichnungen der 30er und frühen 40er Jahre stilprägend. Jede Körperbewegung und jeder Zeichenstrich kann in diesem Sinne erklärt werden.

In den späteren Jahrzehnten, in denen sich Rembrandts Interesse immer stärker auf das Rätselhafte im menschlichen Dasein konzentriert, wird die äußerliche Bewegung der Figuren mehr und mehr zurückgenommen zugunsten anderer Ausdrucksmöglichkeiten. Hier in den 30er Jahren versucht Rembrandt dagegen größtmögliche Intensität und Lebendigkeit des Ausdrucks durch gesteigerte körperliche Aktivität und lebhaft bewegte Mimik zu erreichen.

Die an dem Beispiel der beiden Zeichnungen »Ganymed« und »Der ungezogene Junge« gewonnenen Stilkriterien lassen sich weitgehend auch an den übrigen, um die Mitte der 30er Jahre entstandenen Kinderzeichnungen nachweisen.

Zu den sicher datierbaren Blättern gehören die beiden Zeichnungen »Die Pfannkuchenbäckerin« (Kat. Nr. 8, 9), die in unmittelbarem Zusammenhang mit der Radierung »Die Pfannkuchenbäckerin« (H. 141) aus dem Jahre 1635 stehen (Textabb. 9). Sie bringen jeweils eine etwas andere Version desselben Themas.

In allen drei Fassungen ist die Figur der Alten, die von der Seite gesehen auf einem Stühlchen sitzend mit dem Backen der Pfannkuchen beschäftigt ist, sehr ähnlich formuliert. Auf der Pariser Zeichnung (Kat. Nr. 9) sitzt sie lediglich unter einem Schutzdach. Die Schar der Käufer dagegen wechselt, wenn auch einzelne Motive wiederholt werden. Offensichtlich lag der Reiz des Themas für Rembrandt – abgesehen von der lebendigen und zugleich malerischen Wirkung einer derartigen Volksszene – in der Beobachtung der unterschiedlichen kindlichen Augenblicksstrebungen.

Der drollige kleine Junge, der mit großen Augen hoffnungsvoll in seiner Tasche nach einem Geldstück sucht, steht beispielsweise in wirkungsvollem Kontrast zu der ungeduldigen Spontanreaktion des Kleinkindes, das von der Mutter davon abgehalten werden muß, sich selbst zu bedienen.[19] Dasselbe Motiv erfährt in der Amsterdamer Skizze (Kat. Nr. 8) eine fein-nuancierte Abwandlung. Hier kramt ein Betteljunge mit äußerster Konzentration in seiner Tasche, deren Grund er aber sichtlich vergeblich durchforstet. Die Figur dieses Jungen ist exemplarisch für die Schärfe der Beobachtungsgabe Rembrandts. Das Bemühen des Knaben, doch noch in den Ecken der Tasche ein verborgenes Geldstück zu finden, ist höchst einfühlsam charakterisiert. Um besser in den äußersten Winkel vordringen zu können, hebt er unbewußt das Bein an, während sein Arm tief in

9 Rembrandt, Die Pfannkuchenbäckerin. 1635. Radierung. London, The British Museum

10 Adriaen Brouwer, Bauernmahlzeit (Ausschnitt). Öl auf Eichenholz. 29,5 × 36,5 cm. Basel, Kunstmuseum

der Hosentasche versinkt und der Oberkörper in leichter Beugung mitgeht. Der angewinkelte rechte Arm steht in unauffälligem, aus der natürlichen Bewegung entwickeltem Kontrapost zu dem langgestreckten linken Arm. Es ist köstlich zu sehen, wie sich die suchende Hand unter dem dünnen Stoff deutlich abzeichnet.

Mit dem Thema der Pfannkuchenbäckerin steht Rembrandt in der holländischen Tradition. Möglicherweise hat er sogar eine Darstellung der Haarlemer Richtung, etwa von Adriaen Brouwer (Textabb. 10) oder W. Buytewech gekannt, denn die Figur der Alten erinnert auffallend an ähnliche Formulierungen dieser beiden Künstler.[20] Aber Rembrandt gewinnt dem Thema durch seine psychologisch vertiefte Erfassung des Menschen eine ganz neue Dimension ab, die über die Darstellungen Brouwers und Buytewechs weit hinausgeht.

Auf dem Berliner Studienblatt (Kat. Nr. 12) hat Rembrandt neben einigen Skizzen von Bettlern und wohltätigen Spendern auch die anschauliche Szene eines Trotzkopfes, der seine Wärterin beim Einkaufsbummel begleiten soll, festgehalten. Das kleine Kind steht noch auf der flüchtig angedeuteten, aber offensichtlich recht hohen Treppenstufe des Hauses, während die alte Dienerin mit dem Henkelkorb am rechten Arm schon im Gehen begriffen ist und den linken Arm nach dem Kind ausstreckt. Dem Kleinen jedoch scheint die Treppenstufe zu hoch und der Aufbruch überhaupt zu eilig zu sein, weshalb sein Gesichtchen sich bereits zu einem zornig-kläglichen Geheul verzogen hat. Mit der linken Hand versucht er hartnäckig, den Kontakt mit der Mauer zu halten, eine Geste, mit der er seine Entschlossenheit, den sicheren Stand nicht ohne Hilfe zu verlassen, unterstreichen und zugleich auch die noch etwas krumm und wackelig dastehenden Beinchen stützen will. Die Rechte dagegen reckt sich verlangend der Alten nach, um dem Wunsch, sie zu begleiten, Nachdruck zu verleihen. Der Zwiespalt zwischen eigenwilligem Verharren an der Hauswand und dem dringenden Begehren, mitgenommen zu werden, hat auch das heulend verkrampfte Gesicht erfaßt, in welchem Zorn, Trotz und klägliche Angst vor dem Zurückbleiben widerstreiten. Die Alte scheint aber nicht gewillt zu sein, dem trotzigen Aufbegehren nachzugeben. Nur flüchtig und ein wenig ärgerlich dreht sie den Kopf halbwegs zu dem eigensinnigen Kind, in dessen erbärmlicher Miene sich die eigene Niederlage schon ankündigt.

Aus dieser unscheinbaren Begebenheit, die jedoch mit äußerster dramatischer Zuspitzung vorgetragen wird, ist es Rembrandt gelungen, ein kleines Seelendrama zu gestalten. Der Augenblick, den er aus dem Handlungsablauf herausgegriffen hat, ist der Höhepunkt, der noch alle Möglichkeiten der Weiterentwicklung – des endgültigen trotzigen Ausharrens, der reumütigen Aufgabe oder gar eines Nachgebens der Alten – in sich trägt und zugleich die Vielschichtigkeit der inneren Beweggründe des Kindes offenbart.

Tiefes psychologisches Verständnis für die oft undurchsichtigen kindlichen Verhaltensweisen und deren seelische Motivationen kennzeichnet diese Art der Kinderdarstellung bei Rembrandt. Mit welcher Sensibilität beobachtet der Künstler hinter der äußerlichen Trotzhaltung des Kindes die Ursache der Widerspenstigkeit, welche in der Mißachtung des bei Kindern meist sehr ausgeprägten Selbstbewußtseins zu suchen ist. Der Kleine sieht sich und seine Schwierigkeiten bei der Bewältigung der Treppe durch die betriebsame Eile eines Erwachsenen übergangen und reagiert als gekränkte kleine Persönlichkeit, die der Künstler aber – im Gegensatz zu der alten Dienerin – ganz ernst nimmt.

Ähnliche Beobachtungen kann man bei kleinen Kindern, die noch an langsames Vorgehen bei allen ihren Verrichtungen gewöhnt sind, häufig machen. Kinder pflegen sich instinktiv der überstürzten Eile eines Erwachsenen, die auf etwas anderes gerichtet ist, zu widersetzen, wenn ihre Person dabei nicht berücksichtigt wird. Ihr Eigensinn beruht auf einem bereits im kleinen Kinde stark entwickelten Geltungsdrang, infolgedessen sie von ihrer Umgebung ständige Beachtung und Teilnahme an ihrem Tun erwarten. Zugrunde liegt diesem kindlichen Betragen ein allgemein menschliches Verhalten: Die in ihrem Selbstbewußtsein mißachtete Persönlichkeit fordert gekränkt ihr Recht. Dies geschieht bei Kindern, deren momentane Gefühlsregungen sich durch besondere Intensität auszeichnen, naiver und spontaner als bei Erwachsenen.

In dieser Weise können sehr viele Kinderzeichnungen Rembrandts, so bescheiden ihre Thematik auch sein mag, ins Allgemeingültige übersetzt werden. Auch darin zeigt sich, wie ernst Rembrandt die Welt des Kindes, die als eine in sich geschlossene und zugleich über sich hinausweisende erkannt wird, nimmt. Das kindliche Dasein wird bewußt in seiner Eigengesetzlichkeit und Andersartigkeit charakterisiert, denn der Kleine verhält sich in der Spontaneität seines Gefühlsausbruches ja ganz typisch kindlich und steht in betontem Gegensatz zu der ziemlich verständnislosen, mit sich selbst beschäftigten Wärterin.

Bezeichnenderweise ist der »Held« des kleinen Dramas nicht die alte Dienerin, für deren Ärger der Betrachter allenfalls ein Schmunzeln aufbringt, sondern das weinende Kind. Rembrandt versetzt sich in die Situation – in diesem Falle die Not – des Kindes, um sie ganz spontan aus der kindlichen Perspektive wiederzugeben. Die atemlos hingeworfenen Kurven und Haken in dem verknitterten Gesichtchen sind Ausfluß der inneren Erregtheit von »Modell« und subjektiv mitfühlendem Künstler. Der Zwiespalt der Situation, den Rembrandt mit sensibler Nervosität nachempfindet, läßt seine Feder impulsiv und heftig nach Form suchen.

Auch der in der Szene anklingende Humor ist eindeutig auf seiten des Kindes, das nicht Opfer der Komik, sondern ihr Träger ist.[21] Wenn der humoristische Ton der Darstellung zum Lachen reizt, so nicht deshalb, weil das Kind lächerlich aufgefaßt und damit einem intellektuellen Witz zugunsten der Erwachsenen preisgegeben wäre, wie dies beispielsweise bei Adriaen Brouwer geschehen kann, sondern weil das Komische der Situation im allgemein-menschlichen Bereich wurzelt. Das Schmunzeln des Betrachters gilt verständnisvoll dem »Weltschmerz« des Kindes, das die objektiv gesehen harmlose Begebenheit mit der ganzen Tiefe seiner Empfindungsmöglichkeiten durchleidet. Die Schwierigkeiten der Wärterin dagegen nimmt man mit heimlicher Freude, fast mit ein wenig Schadenfreude wahr.

Offensichtlich ist hier der an die Grenzen seiner Autorität geführte Erwachsene Opfer der Komik geworden – eine Beobachtung, die an verschiedenen Kinderzeichnungen Rembrandts, sei es an dem sogenannten »Witwer« (Kat. Nr. 81), dem »Ungezogenen Jungen« (Kat. Nr. 6) oder dem Kind, das einem glatzköpfigen Alten die Kappe vom Kopf zieht (Kat. Nr. 66), in verschiedenen Schaffensperioden gemacht werden kann.

In der wunderschönen Zeichnung von zwei Frauen und einem Kind, das laufen lernt (Kat. Nr. 1), erprobt Rembrandt den atmosphärischen Reiz stark kontrastierender Beleuchtungseffekte, die er der Lebendigkeit der Darstellung dienstbar zu machen weiß. Wir sehen ein Kind am Laufriemen, das mit seiner Mutter aus dem Haus heraus kommt und auf eine vor der Tür sitzende alte Frau zuläuft. Die Gruppe, die von starkem Sonnenlicht getroffen wird, setzt sich höchst wirkungsvoll von der Dunkelheit des Hauseinganges ab. Mit dichten Lavierungen geht Rembrandt den Schattenpartien nach, die die Figuren weich umfangen.

Die Schärfe der Hell-Dunkel-Kontraste entspricht durchaus der barocken Phase um die Mitte des Jahrzehnts, in der Rembrandt zu kräftigen Akzenten neigt – man vergleiche z.B. die sogenannte »Judenbraut« (Ben. 292) aus dem Jahre 1635 (Textabb. 11). In der Folgezeit wird Rembrandt freilich die Lavierungen immer subtiler einsetzen. Die sichtbar gemachte Atmosphäre, in die die Figuren eingebettet sind, steigert lebhaft den intimen Stimmungsgehalt. Die Szene selbst strahlt die Unmittelbarkeit eines Zufallserlebnisses, einer flüchtig aufgefangenen Augenblickssituation aus. Die alte Frau beugt sich nämlich – einem spontanen Gefühl der Zuneigung und Freude gehorchend – mit ausgebreiteten Armen zu dem auf sie zustrebenden Kind vor. Mit großartiger Schärfe beobachtet Rembrandt hier ein ganz typisches Verhalten von Kindern und Erwachsenen bei dem Prozeß des laufen Lernens. Dabei geht es darum, das Kind seine Unsicherheit vergessen zu machen, indem man es zum unbewußten Laufen anregt. Die alte Frau wendet die uralte Methode an, dem Kind ein sicheres und zugleich begehrtes Ziel anzubieten, das es zu erreichen trachtet wie hier der Kleine, der schon ganz auf die Großmutter konzentriert ist.

Bei aller Unscheinbarkeit bringt diese alltägliche Begebenheit »aus dem Frauenleben mit Kindern« die Verbundenheit der Generationen im Familiengefüge sehr eindrucksvoll zur Anschauung. Die warme Zuneigung von Enkel- und Großelterngeneration ist gerade für die Periode der frühen Kindheit besonders charakteristisch.

Die Zeichnungen Kat. Nr. 17–39 gehören stilistisch alle der Periode 1635–1638 an. In ihnen ist sowohl der spannungsvolle Zeichenstil

11 Rembrandt, Studie für: Die Judenbraut. Um 1635. Feder in Tusche, laviert. Stockholm, Nationalmuseum

der Mitte des Jahrzehnts als auch ein erster Ansatz zu Beruhigung und Klärung wirksam, der in dem um 1636 entstandenen Blatt mit vier Studien von einer Frau mit einem Kind in den Armen (Kat. Nr. 33), der 1637 datierten Elefantenskizze (Ben. 457; Textabb. 12) und der um 1638 gesicherten Zeichnung von einer Frau und einem Orientalen (Ben. 168) zeitlich greifbar ist und die folgende Stilphase ab 1639 charakterisieren wird.

Die Blätter Kat. Nr. 17–19 führen das bei Rembrandt immer wiederkehrende Thema eines Säuglings vor, der an der Brust der Mutter schläft oder trinkt. Es ist das einfachste und zugleich schönste Motiv aus dem vielseitigen Themenkomplex der Mutter-Kind-Beziehungen, in welchem Mutterliebe und kindliche Geborgenheit am reinsten zum Ausdruck kommen. In dem herrlichen Blatt Kat. Nr. 18, das wohl die Madonna, am Fenster sitzend, vorstellen soll, ist das Kind in den Armen der Mutter eingeschlafen. Eng an die mütterliche Brust geschmiegt, schläft es den vollkommen gelösten Schlaf des Kleinkindes, den die Mutter nicht stören will. Die reichen, hier noch sehr kontrastreich eingesetzten Pinsellavierungen verleihen der Zeichnung eine sehr lebendige, farbige Wirkung.

In diesem und ähnlichen lyrisch gestimmten Blättern – man denke etwa an die Frau, die mit ihrem Kind an einer Hauswand sitzt (Kat. Nr. 22) – klingen weniger barocke als vielmehr renaissancehafte Stiltendenzen an. Es fällt eine Neigung zu ruhigen, geschlossenen Kompositionen im klassischen Dreiecksschema auf, wenn auch der unruhige, dynamische Zeichenstil nur mühsam in dem strengen Kompositionsgerüst gebändigt werden kann. Das Sitzmotiv der Maria am Fenster (Kat. Nr. 18) läßt sich sogar eindeutig auf eine Vorlage des 16. Jahrhunderts zurückführen, und zwar auf einen Stich von Barthel Beham.[22]

Die Skizze einer Frauengruppe mit Kind (Kat. Nr. 20) hält eine der typischen familiären Szenen fest, wie man sie im Holland des 17. Jahrhunderts vor den Türen der Häuser beobachten konnte. Wir sehen eine ältere und eine jüngere Frau samt einem Kind, das auf einem Töpfchen thront, vor einer Haustür sitzen. Das friedliche Beisammensein von Mutter, Großmutter und Kind wird von einer dritten Frau über die Halbtüre hinweg beobachtet.

12 Rembrandt, Elefant. 1637. Schwarze Kreide. 23 × 34 cm. Wien, Albertina

Ihr Blick ruht sinnend auf der Gruppe von Mutter und Kind und fordert den Betrachter auf, ihm zu folgen. Sehr interessant ist die Differenzierung des Künstlers in der Behandlung der drei Generationen. Während er von dem Kind auf seinem Töpfchen mit raschen, zielsicheren Federschwüngen eine knapp zusammengefaßte Rükkenansicht bietet, nimmt er die Mutter etwas genauer von der Seite auf. In Profilansicht sehen wir ihr rundliches Gesicht über eine Näharbeit gebeugt, der sie als Vertreterin der tätigen Generation ihre ganze Konzentration widmet. Die Großmutter dagegen schaut nachdenklich vor sich hin, ohne daß ihr Augenmerk auf etwas Bestimmtes gerichtet wäre wie das der jüngeren Frau und des Enkels, dessen Nasenspitze gerade noch so weit zu sehen ist, daß ihre Richtung das dem Straßenleben zugewandte Interesse anzeigt. Das Phänomen des nach innen gerichteten Blickes bei alten Menschen war Rembrandt hier so wichtig, daß er mit seiner Zeichenfeder in dem Gesicht der alten Frau besonders lange verweilte und es bis in die Details der Falten genau verfolgte.

Die stehende Frau an der Halbtüre umfaßt mit ihrem Blick – im Gegensatz zu den übrigen Personen, die mit sich selbst beschäftigt sind – die ganze stimmungsvolle Szene und ist dadurch als Zuschauer gekennzeichnet. Das Motiv des Zuschauers im Bilde hat Rembrandt offenbar sehr geliebt und immer wieder neu variiert. Es ist aufschlußreich, einmal zu verfolgen, wie genau der Künstler die Unterschiede in der menschlichen Anteilnahme studiert hat. Man vergleiche etwa die Blätter Kat. Nr. 6, 23, 72, 74, 99.

In der Zeichnung Kat. Nr. 23 hält Rembrandt mit dem Temperament der 30er Jahre das Angsterlebnis eines Kindes fest, das sich vor einem großen Hund furchtsam in die Arme der niederknienden Mutter geflüchtet hat. Diese umfängt das Kind tröstend und redet begütigend auf es ein, denn der Hund ist offensichtlich gutmütiger Absicht. Aber der Kleinen ist die große Schnauze in unmittelbarer Nähe ihres Gesichtes doch zu bedrohlich, weshalb sie sie mit beiden Ärmchen abzuwehren versucht.

Wie auf dem Blatt mit der Frauengruppe am Hauseingang (Kat. Nr. 20) wird die Komposition abgerundet durch das Motiv eines stummen Beobachters. Die kleine Szene, die sich auf den Stufen eines Hauses abspielt, wird nämlich aus dem Fenster heraus von einer Frau beobachtet. Auf die Fensterbrüstung gelehnt, verfolgt sie neugierig den Ablauf des Geschehens. Das harmlose Ereignis wird durch die Spiegelung in der Mimik eines Zuschauers – dessen Anwesenheit den Hauptpersonen gar nicht bewußt ist – eigentümlich vertieft. Darüber hinaus wird durch diesen kleinen Kunstgriff die Aufmerksamkeit des Betrachters in besonderer Weise auf die dargestellte Szene gelenkt, denn er sieht sich einem im Bilde festgehaltenen Zuschauer gegenüber. Das heißt, der Betrachter sieht seine Position bereits im Bilde angesprochen. Und noch ein weiteres Mittel dient dem Zweck, den Betrachter in den geschilderten Vorgang direkt mit einzubeziehen, und sichert zugleich der Darstellung ihre ungemein spontane Wirkung: es ist die Aufnahme aus der Augenhöhe des Kindes, dessen Erlebnis ja im Zentrum des künstlerischen Interesses steht. Denn nicht nur die Mutter hat sich zu dem Kind herabgelassen, um ihm näher zu sein und ihm von Angesicht zu Angesicht Mut zuzusprechen. Auch der Künstler – und mit ihm der Betrachter – sind in Höhe des Kindes hockend zu denken. Die ganze Zeichnung ist also auf die Perspektive des Kindes eingestellt, so daß der Betrachter gezwungen ist, sich dieser Perspektive ebenfalls anzupassen und sich damit zugleich den Nöten des Kindes zu öffnen.

Auf dem Studienblatt Kat. Nr. 28 haben wir verschiedene Variationen von dem Motiv einer stehenden Frau, die ein Kind im Arm hält. Eine besonders reizvolle Abwandlung zeigt die obere Skizze, wo ein etwas größeres Mädchen hinter dem Rücken der Mutter mit dem kleinen Kind auf deren Armen »Guckguck« spielt. Mit wirbelnden Linien deutet Rembrandt den links hinter dem Rock hervorfahrenden Kopf des Mädchens an, dem das andere Kind mit den Augen zu folgen versucht. Der Szene haftet so sehr das Jähe der Bewegung an, daß man glauben möchte, den Kopf des Mädchens in der nächsten Minute wieder verschwinden zu sehen. Rembrandt gibt hier wohl eins der ältesten und heute noch beliebten Kinderspiele der Kleinkinderzeit wieder, dessen Wirkung auf dem Reiz des wechselhaften Auftauchens und wieder Verschwindens beruht.

Technisch interessant ist hier wieder, wie Rembrandt in dieser Zeit die wichtigen Punkte zur Verdeutlichung der Körperhaltung mit festen, z. T. noch einmal kräftig nachgezogenen Federstrichen markiert und dabei Einzelheiten der Körperbildung schwungvoll vereinfacht, in den bedeutungsvollen Partien des menschlichen Ausdrucks aber feinstrichelig genau wird. Der Sitz des Kindes auf dem Arm der Mutter und die rasche Wendung des Kopfes zu dem größeren Kind sind knapp und kraftvoll herausgestrichen, das Köpfchen aber bleibt summarisch. Bei dem amüsierten Lächeln der Mutter und dem im Eifer des Spiels strahlenden Blick des Mädchens verweilt Rembrandts Feder dagegen zu genauer Beobachtung.

In der Zeit 1636–1638 werden die Bemühungen um Klärung und Festigung von Figurenkomposition und Zeichensprache immer deutlicher faßbar. Hand in Hand mit diesen Tendenzen, die um 1639 an Prägnanz gewinnen, so daß man von einer neuen Stilphase sprechen kann, geht eine Neigung zu ruhigeren thematischen Vorwürfen, die im Bereich der Kinderdarstellungen gerne eine lyrische Note annehmen.

Das um 1636 entstandene Skizzenblatt (Kat. Nr. 33) enthält vier Bruststudien von einer Frau, mit der wohl Saskia gemeint ist, in verschiedenen Ansichten. Die zweite und vierte Skizze zeigen sie mit einem Kind in den Armen, welches demnach den erstgeborenen Sohn Rumbartus vorstellen dürfte. Die Strichführung ist sparsam – wenn auch das Temperament der 30er Jahre spürbar bleibt – , die Komposition knapp zusammenfassend. Insbesondere die untere Studie, die Saskia mit dem nur flüchtig angedeuteten Kind von vorne wiedergibt, läßt den sich anbahnenden Wandel der künstlerischen Absichten klar erkennen.

Saskia drückt das in Decken gewickelte Kind mit beiden Armen eng an sich und schmiegt ihre Wange zärtlich an sein Köpfchen. Dabei schließen sich die Konturen von Mutter und Kind zu einem stumpfwinkligen Dreieck zusammen, dessen Basis die breit lagernden Arme der Mutter bilden. Die seitliche Neigung ihres Kopfes wird geschickt durch die Umrißlinien eines breitrandigen Hutes ausgeglichen, so daß sich ein klares kompositorisches Bild ergibt. Diese sehr geschlossene und ruhige Formgebung bringt das Phänomen mütterlicher Liebe, die das Kind ganz umfängt und ihm Geborgenheit sichert, überzeugend zur Anschauung.

Während Rembrandt sich in der Folgezeit verstärkt auf die Aussagekraft einer so eindrucksvollen Formensprache verläßt und sie durch gleichmäßig konzentrierten Vortrag im Ausdruck zu steigern bemüht ist (vgl. Kat. Nr. 69 recto, 91, 92), geht er in diesem Blatt noch seinem alten Prinzip einer stufenweisen Realisation nach. Die rasche, zusammenfassende Strichtechnik der Außenregionen verdichtet sich im Gesicht, das von einem glückseligen Lächeln verklärt wird, zu feinstricheliger Detailbeobachtung.

Die Münchener Säuglingsstudien (Kat. Nr. 34, 35) stehen mit dieser Zeichnung in unmittelbarem Zusammenhang. Ein Vergleich des Kindes auf Kat. Nr. 34 mit dem der zweiten Skizze auf Kat. Nr. 33 läßt sogar die Vermutung aufkommen, daß es sich um dasselbe Kind handeln könnte. In diesem Blatt bringt Rembrandt das Charakteristische der Säuglingsphase in zwei wundervollen Einzelstudien auf eine ganz knappe, eindringliche Formel.

Wir sehen ein Kind, das offenbar in einer Wiege liegt, mit fest geschlossenen Augen hingebungsvoll an einem Fläschchen trinken, welches von einer nur flüchtig angedeuteten Hand gehalten wird. Es ist sehr köstlich, wie Rembrandt hier das vollkommen instinktmäßige Verhalten des Säuglings bei der Nahrungsaufnahme einfängt.

Technisch strebt er wie auf dem Rotterdamer Studienblatt (Kat. Nr. 33) größtmögliche Vereinfachung und Konzentration der Mittel an. Mit ganz wenigen gezielten Federzügen, die nur im Profil des Köpfchens zu Einzelbeobachtungen – der kleinen Stupsnase, des gespitzten Mündchens oder der runden Bäckchen – ansetzen, faßt Rembrandt die Umrisse des unter Decken verpackten Kindes zu einer schwungvollen Ovalkomposition zusammen. In dieser abgerundeten Darstellungsform kommt die in sich ruhende, mit sicherer Triebhaftigkeit funktionierende Welt des Kindes schlagend zum Ausdruck.

In der Amsterdamer Zeichnung von einem schlafenden Jungen (Kat. Nr. 39) geht Rembrandt dem Reiz des vollkommen gelösten Kinderschlafes nach. Seit Kenntnis der Lebensdaten von Rembrandts Kindern wissen wir, daß hier nicht der aufgebahrte tote Rumbartus – Rembrandts erstes Kind – dargestellt sein kann, wie Benesch (Ben. 379 recto) noch vermutete[23]. Der unbefangene Betrachter wird auch kaum geneigt sein, in einer so lebensvollen Skizze ein totes Kind erblicken zu wollen. Benesch führt insbesondere die herabhängenden Mundwinkel als Beweis für seine These an, daß es sich um die erschlafften Züge eines toten Kindes handele. Wenn man aber schlafende Kinder einmal genau beobachtet, wird man durchaus feststellen, daß auch ein rundliches, straffes Kindergesicht sich so weit entspannen kann wie das des Knaben auf dem Amsterdamer Blatt. Die unendlich zarte, intime Wirkung der Zeichnung wird gerade von dem Zauber des gesunden Tiefschlafes im Kindesalter bestimmt, den der Künstler mit ganz lockeren, hauchartig andeutenden Federzügen einfängt. Duftige Pinsellavierungen, die die Gestalt weich umspielen und den Schatten in den Vertiefungen des Kissens nachgehen, lassen die den Knaben traumhaft umfangende Atmosphäre spürbar werden.

Ein ähnlich lyrisches Thema schlägt Rembrandt in der New Yorker Zeichnung (Kat. Nr. 38) an, auf welcher eine Frau dargestellt ist, die einen Knaben vorsichtig die Treppe hinunterträgt. Der kleine

Lockenkopf, der sich eng der mütterlichen Umarmung einschmiegt, scheint mit dem schlafenden Jungen in Amsterdam identisch zu sein. Er ist so deutlich als individuelle Kinderpersönlichkeit charakterisiert und als solche so persönlich erfaßt, daß man wohl an ein dem Künstler besonders vertrautes Kind aus seiner näheren Umgebung denken kann.

In der umsichtigen Art, wie die Frau das Kind die Stufen hinabträgt, kommt die das Kind allseitig umgebende mütterliche Fürsorge wunderbar zum Ausdruck. Wie Mutter und Sohn zu einer vollkommen geschlossenen Figurenkomposition verbunden sind und ohne ablenkendes Beiwerk sich ruhig von einer Wandfläche abheben, darin wird ein Wandel des barocken Stilempfindens spürbar. Die lebhaften Kontraste in Strichführung und Beleuchtung, deren Schattenspiele an der Wand und am Rücken der Frau mit duftigen Lavierungen herausgearbeitet werden, sind dagegen noch dem dramatischen Stilwillen der 30er Jahre verpflichtet. Ein echt barockes Element ist der fast unmerkliche und doch höchst wirksame Bewegungszug, der durch das Hinabsteigen ausgelöst wird. Das elastische Federn des Schrittes und das flüchtige Vorüberziehen der Figuren, die doch zugleich ein in sich ruhendes Bild abgeben, ist unendlich sensibel mit ganz wenigen schwungvollen Linien eingefangen. Ein einziger spannungsvoller Bogen deutet die Beugung des vorderen Knies an, auf welchem das Gewicht der Figuren ruht, während das nachziehende linke Bein nur aus dem Schwung des nachwehenden Gewandes erkenntlich wird.

Wie gezeigt wurde, lassen die Kinderzeichnungen der ersten Periode um 1634–1638 zwei stilistische Strömungen erkennen: eine barockbewegte, die sich insbesondere auf die Mitte des Jahrzehnts konzentriert, und eine lyrisch-renaissancehafte, die sich ab 1636/37 neben den barocken Tendenzen bemerkbar macht.

Die barocke Freude an dramatisch-zugespitzter Darstellung, dynamischer Bewegung und intensiver Gefühlsentladung wird der spontanen, aktiven Lebenseinstellung des Kleinkindes in hohem Maße gerecht. Es ist die elementare, naturhafte Seite des Kindes, die in den Blättern dieser Richtung temperamentvoll zum Durchbruch kommt. Zugleich kann diese Zeit als eine besonders naturalistische

Phase bezeichnet werden, in welcher Rembrandt der zeitgenössischen holländischen Kunst am nächsten steht. Auf dem Wege exakter Naturbeobachtung versucht er, die charakteristischen Lebens- und Verhaltensweisen des Kindes zu begreifen und in ihrer Vielschichtigkeit verständlich zu machen. Im Verlaufe seiner späteren Entwicklung wird er dagegen immer mehr das Rätselhafte des kindlichen Daseins als Gegebenheit bestehen lassen.

Mit der renaissancehaften Strömung, die erstmals Anklänge an klassische Kompositionsvorstellungen erkennen läßt, treten lyrische Kinderthemen in den Vordergrund, in denen Rembrandt sich vorwiegend mit den zarten Mutter-Kind-Bindungen beschäftigt. Auch diese Richtung wird von einem typisch holländischen Wesenszug überlagert: von der Vorliebe für das Intime menschlicher Verhältnisse. Die Beziehungen zwischen Kind und Erwachsenem sind in diesen Blättern meist durch inniges Verbundensein gekennzeichnet, während das Erwachsenen-Kind-Verhältnis in den Zeichnungen der barocken Strömung sich häufig spannungsvoll darbietet.

Für die folgende Periode 1639–1643 werden renaissancehafte Tendenzen stilprägend sein; das barocke Element dagegen wird mehr und mehr an Gewicht verlieren.

2 Stilistische Neuorientierung an der Renaissance-Kunst (um 1639 – um 1643) – Beruhigung von Komposition und Zeichensprache

Der Stilwandel, der sich gegen Ende des dritten Jahrzehnts in Rembrandts zeichnerischem Werk vollzieht, kann zeitlich ziemlich genau fixiert werden aufgrund der 1639 datierten Skizze Ben. 451 (Textabb. 13), in welcher die neuen künstlerischen Absichten beispielhaft in Erscheinung treten. Mit diesem Blatt haben wir ein einzigartiges Zeugnis für die bewußte Neuorientierung an Renaissance-Vorbildern. Auf ihm hat Rembrandt Raffaels berühmtes Porträt des Baldassare Castiglione (Textabb. 14) festgehalten, das zu sehen er auf der Auktion des Lukas van Uffelen am 9. April 1639 Gelegenheit hatte. Da der Niederschlag klassischer Formvorstellungen auch für den Stil der Kinderzeichnungen um die Wende des Jahrzehnts von größter Bedeutung ist, sei das Blatt an den Anfang der stilistischen Betrachtungen dieser Epoche gestellt.

Der Zeichnung nach zu urteilen, war es das strenge Kompositionsschema in Form eines gleichschenkligen Dreiecks, das Rembrandt an Raffaels Halbfigurenporträt am meisten beeindruckte, denn er steigert es durch die eigenwillige Schrägstellung der Kappe des Dargestellten zu einer sehr viel dynamischeren Wirkung als sie dem Original eigen ist. Wenig später wendet er es geradezu programmatisch in dem Londoner Selbstbildnis (Br. 34) an (Textabb. 15). Die in sich geschlossene Dreiecksanlage als Ausdruck formaler und zugleich seelischer Harmonie nimmt in der Folgezeit in Rembrandts Kompositionsstil eine wichtige Rolle ein.

Der ruhige Figurenaufbau Raffaels erfährt bei Rembrandt durch die summarische, breite Federführung eine zusätzliche Verfestigung und Monumentalisierung. Dabei wird die Einzelform zugunsten

einer klaren Herausarbeitung des Kompositionsgedankens auf wenige temperamentvoll gesetzte Akzente reduziert. Darin offenbart sich aber bereits eine für Rembrandt charakteristische Umdeutung der klassischen Vorlage. Wie hier die sichtbaren Werte aufgelöst werden entsprechend ihrer Erscheinung in Hell und Dunkel, das ist typisch holländisch empfunden.

Die in der Zeichnung nach Raffaels »Baldassare Castiglione« (Ben. 451) erkennbare Beruhigung von Komposition und Zeichensprache kennzeichnet das stilistische Erscheinungsbild der ganzen Epoche um die Wende des Jahrzehnts.

Der dreiecksförmige Figurenaufbau für das Halbfigurenporträt kommt um dieselbe Zeit in zwei weiteren Zeichnungen zur Anwendung, und zwar in der 1639 datierten Skizze von Saskias Schwester Titia (Ben. 441; Textabb. 16) und in dem stilverwandten Kinderporträt (Kat. Nr. 47). Beiden Porträtzeichnungen fehlt der repräsentative Zug; sie haben vollkommen privaten Charakter. Zarte Lavierungen geben einen Hauch von Atmosphäre, die die Figuren mit

◁ 13 Rembrandt, Studie nach: Raffael, Bildnis des Baldassare Castiglione. 1639. Feder in Bister, weiße Deckfarbe. 16,3 × 20,7 cm. Wien, Albertina

14 Raffael, Bildnis des Baldassare Castiglione. Um 1519. Öl auf Leinwand. 82 × 67 cm. Paris, Louvre

dem sie umgebenden Raum verbindet. Die klassische Kompositionsformel wird hier ins unverkennbar Niederländische übersetzt. Sie dient nicht der menschlichen Überhöhung, sondern der Steigerung des intimen Stimmungsgehaltes.

Für die stilistische Einordnung der Rembrandtschen Kinderzeichnungen der Periode 1639–1643 sind außer dem »Baldassare Castiglione« und der »Titia« folgende datierte oder anderweitig zeitlich gesicherte Blätter von Bedeutung:

1 zwei Skizzen von Saskias Schlafgemach (Ben. 425, 426; Textabb. 17), deren Entstehung Valentiner zufolge nach dem Umzug in die Jodenbreestraat im Jahre 1639 anzusetzen ist, da sie den Schlafraum in Rembrandts neuem Hause wiedergeben [24];
2 »Damenbildnis« (Ben. 442) – Entwurf für das 1639 datierte Porträt in Amsterdam (Br. 336);
3 zwei Zeichnungen nach englischen Ansichten (Ben. 785, 786) aus dem Jahre 1640;

15 Rembrandt, Selbstbildnis. 1640. Öl auf Leinwand. 102 × 80 cm. London, National Gallery

4 zwei Porträts des Predigers Anslo (Ben. 758, 759) – beide signiert und 1640 datiert;
5 »Kniender nackter Mann« (Ben. 477) – Studie für die 1640 datierte Radierung (H. 171);
6 »Die Taufe des Kämmerers« (Ben. 488) – Studie für die 1641 datierte Radierung (H. 182);
7 »Zwei diskutierende Männer« (Ben. 500a) – 1641 datiert;
8 »Der Raucher« (Ben. 686) – 1643 datiert.

Außerdem können die Hintergrundszene der Radierung »Das Schwein« (H. 204) aus dem Jahre 1643 und die mit ihr in Zusammenhang stehenden Skizzen von Schweinen (Ben. 777–779; vgl. Textabb. 18) zur Datierung mit herangezogen werden.

Die an den Porträtstudien von Titia (Ben. 441) und nach Raffaels »Castiglione« (Ben. 451) beobachteten Stilkriterien lassen sich auch an diesen Blättern feststellen. Sie alle kennzeichnet ein Bemühen um Klärung und Festigung in formaler und kompositorischer Hinsicht. Ruhe und Geschlossenheit werden sowohl im Figurenaufbau (vgl. Ben. 500a, 686) als auch in den bildmäßig angelegten Kompositionen (vgl. Ben. 425, 426 oder Ben. 785, 786) erreicht.

Darüber hinaus kommt in den Zeichnungen von Saskias Schlafgemach (Ben. 425, 426) und den englischen Ansichten (Ben. 785, 786) ein neues Interesse am Raum zum Durchbruch. Rembrandt geht hier den atmosphärischen Erscheinungen von Innen- und Freiraum in ihren zartesten Stufungen nach. Gegenüber der »barocken« Periode sind die Hell-Dunkel-Wirkungen sichtlich verfeinert. Der Reiz atmosphärischer Stimmungen ist auch ein wesentliches Element der Kinderzeichnungen dieser Epoche – man denke an die Kinderumzüge (Kat. Nr. 72–75) oder an die Küchenszene (Kat. Nr. 80).

In der Strichführung läßt der Bestand an gesicherten Zeichnungen zwei Stilgruppen erkennen, die an den Kinderzeichnungen ebenfalls beobachtet werden können. Die eine Richtung wird durch die Blätter Ben. 425, 785, 786 und 500a vertreten. Sie ist durch eine sehr bestimmte, kraftvolle Zeichensprache gekennzeichnet, die eine deutliche Konturierung anstrebt. Die Linie gewinnt an Festigkeit, verdickt sich und nimmt gerne einen tiefen dunklen Ton an, der in lebhaftem Kontrast zur Helligkeit des Papiers steht.

16 Rembrandt, Studie von Saskias Schwester Titia von Uylenburgh. 1639. Feder, Pinsel in Bister. 17,7 × 14,7 cm. Stockholm, Nationalmuseum

Wird der Strich der Zeichenfeder formal auch gebändigt, so läßt sein dynamisches An- und Abschwellen jedoch immer noch barocke Bewegtheit erkennen. Die in den breiten Strichpartien sich verdichtende Dunkelheit steigert die umliegenden weißen Zonen des Papiers in ihrer Leuchtkraft, so daß diese als farbige Werte empfunden werden. Diese Neigung, die Kontrastwirkung des Papiers der künstlerischen Absicht dienstbar zu machen, ist für die Periode

1639–1643 besonders charakteristisch. Damit ist ein neues Mittel der Verlebendigung gewonnen, das mit der Beruhigung und Klärung von Form- und Zeichensprache durchaus im Einklang steht.

Von den Kinderzeichnungen gehören die Blätter Kat. Nr. 48–53 und Kat. Nr. 63–72 dieser Richtung an. Die etwas derbere Anwendung der neuen Stilmittel in den Zeichnungen Kat. Nr. 48–53

17 Rembrandt, Studie von Saskia im Wochenbett. Um 1639. Feder in Bister, Tusche, laviert, weiß gehöht. 14,1 × 17,6 cm. Paris, Institut Néerlandais, Fondation Custodia (Sammlung F. Lugt)

kennzeichnet den Beginn dieser Entwicklung um 1639/40. Der subtilere Vortrag der Blätter Kat. Nr. 63–72 erlaubt dagegen eine breitere Datierung in den Zeitaum 1639–1643.

Ein weiterer stilistischer Komplex zeichnet sich zu Beginn der 40er Jahre mit den Blättern Kat. Nr. 73–78 ab, die in der Zeichnung »Der Raucher« (Ben. 686) und in der Radierung »Das Schwein« (H. 204) – beide aus dem Jahre 1643 – feste Datierungsstützen haben.

18 Rembrandt, Das Schwein. Um 1643. Feder in brauner Tusche. 10,2 × 14,2 cm. London, The British Museum

Der Zeichenstil dieser Richtung ist ebenfalls aus dem Ringen um klare, ruhige Verhältnisse erwachsen, die hier bereits mit Meisterschaft vorgetragen werden. Der Strich der Feder ist fast hauchartig zart und bewahrt in der Stärke eine relative Gleichmäßigkeit. Akzente werden nur ganz dezent gesetzt. Locker folgt die Zeichenfeder in weichen Schwüngen dem Umriß der Figuren und ist stets bemüht, ein Zuviel an Linien zu vermeiden. Ihr sehr bewegter Duktus verrät aber immer noch barockes Temperament.

Von den Kinderzeichnungen der ersten Stilrichtung seien die beiden Bettlerstudien (Kat. Nr. 48, 49) besonders hervorgehoben. Rembrandt gibt auf diesen beiden Blättern eine am Boden sitzende arme Frau mit ihren beiden Kindern in verschiedenen Ansichten wieder, aber jeweils so, daß die Figurengruppe in der Form eines rechtwinkligen Dreiecks stets einen geschlossenen Eindruck bewahrt. Es ist ganz offensichtlich, daß Rembrandt hier in erster Linie an einem Formproblem interessiert war: an dem der in sich abgerundeten Sitzgruppe.

19 Adam Elsheimer, Bauernfrau mit spielenden Kindern. Feder. 10,9 × 15,5 cm. Paris, Louvre, Cabinet des Dessins

Dieses Thema wird in der Periode 1639–1643 in den verschiedensten Variationen durchgespielt (vgl. Kat. Nr. 68–70). Als einzelne Sitzfigur – ebenfalls in Dreiecksform gebracht – taucht es in den beiden nach 1639 entstandenen Zeichnungen von Saskias Wochenstube (Ben. 425, 426) auf. Das Weimarer Blatt (Ben. 425) bringt das Motiv auf eine ganz knappe, fast abstrakte Formel und steht darin ebenso wie in der kraftvoll an- und abschwellenden Liniensprache den entsprechenden Kinderzeichnungen am nächsten.

Ist für die Anordnung des Halbfigurenporträts im Dreiecksschema insbesondere Raffaels Einfluß maßgeblich gewesen, so scheint hier noch eine andere Inspirationsquelle wirksam zu sein. W. Drost macht mit Recht darauf aufmerksam, daß die in ein rechtwinkliges Dreieck hineinkomponierte weibliche Sitzfigur mit einem oder mehreren Kindern bei Elsheimer (Textabb. 19) vorgeformt ist.[25] Da Rembrandt möglicherweise eine Sammlung von Elsheimer-Zeichnungen, die später im Nachlaßinventar seines Freundes Jan van de Capelle erscheint, besessen oder jedenfalls gekannt hat, liegt ein stilistischer Zusammenhang mit Elsheimer-

Vorlagen durchaus im Bereich des Wahrscheinlichen. Wenn Drost auch die Verbindungen zu Elsheimer teilweise zu eng sieht, so wird man doch für die Bettlerstudien (Kat. Nr. 48, 49) die bei Drost genannten oder ähnliche Elsheimer-Zeichnungen als vorbildlich in Erwägung ziehen müssen.

Wie Drost bereits bemerkt, wird in der unteren Skizze des Pariser Blattes (Kat. Nr. 48) die Dreiecksform durch die wirkungsvoll vorgestreckte Hand der Bettlerin durchbrochen. Auch in der Washingtoner Zeichnung (Kat. Nr. 49) versucht Rembrandt in das strenge Formgerüst Bewegung hineinzubringen, indem er das zweite Kind, das in den anderen Skizzen eng an die Knie der Mutter gedrückt schlief und dadurch die Gleichmäßigkeit der Komposition nicht unterbrach, aufrecht sitzen läßt. Mag diese Variation auch einer natürlichen Veränderung der beobachteten Menschengruppe zuzuschreiben sein, so gibt es dennoch kaum eine zweite Kinderzeichnung, in der Rembrandt die lebendige Wirklichkeit so sehr einer Formidee unterworfen hätte. Mit kräftigen, fast balkenartigen Federzügen sind die strukturell wichtigen Hauptlinien angegeben, wobei die Einzelform weitgehend abstrahiert wird.

Dieselbe energisch zusammenfassende Zeichensprache, deren Linienbildung durch ein spannungsvolles Ab- und Zunehmen die Erscheinung der Figuren in Licht und Schatten formuliert, kennzeichnet die Studienblätter Kat. Nr. 50–53.

Das Amsterdamer Blatt (Kat. Nr. 52) behandelt das Motiv eines Erwachsenen, der ein Kind an der Hand spazieren führt. Der Kleine zieht ein Spielzeug auf Rädern hinter sich her, wie es Kinder im ersten Stadium des frisch erworbenen Laufvermögens gerne tun. Vollkommen auf das Spielzeug fixiert, blickt das Kind sich nach dem Tier an seiner Strippe um, während der Vater mit ruhiger Konzentration seinen Weg verfolgt.

Es fällt auf, daß der fortschreitende Abstraktionsprozeß sich in allen genannten Beispielen auch auf den Gesichtsausdruck der dargestellten Personen erstreckt. Rembrandt scheint sich nicht mehr in demselben Maße wie in den 30er Jahren für Einzelheiten des Mienenspiels zu interessieren. Die Ausdrucksgebärde wird auf eine einheitliche knappe Formel gebracht, die nicht vom Detail, sondern von der Gesamterscheinung bestimmt ist. So kann man der mit wenigen raschen Federzügen sicher erfaßten Rückwendung des Kindes zu seinem Spielzeug auch ohne detaillierte Mimik den Grad der Faszination entnehmen, die das Spielzeug auf das Kind ausübt. Der Kleine läßt sich am Ärmchen weiter fortziehen, ohne auf den Weg zu achten, und der Vater wiederum bemerkt die Abgelenktheit des Kindes nicht. Beide bieten einen Anblick, den Ewachsene mit Kindern häufig bereiten und der nur allzu oft in dem plötzlichen Stolpern des verträumten Kindes endet.

Die Stilabsichten, die Rembrandt in seinen Federzeichnungen dieser Zeit verfolgt, verwirklicht er auch mit den anders gearteten Mitteln der Kreidezeichnung. Die frühe Gruppe der ersten Stilrichtung, in welcher die neuen Tendenzen mit einer kraftvoll vereinfachenden Strichtechnik artikuliert werden, wird durch die beiden Londoner Rötelstudien (Kat. Nr. 54, 55) vertreten.[26] Dagegen gestattet die subtiler gestufte Kreidebehandlung der Blätter Kat. Nr. 59–62 eine breitere Datierung in den Zeitraum 1639–1643.

Auf der Londoner Rötelzeichnung (Kat. Nr. 54) ist eine auf dem Boden kauernde Frau mit einem kleinen Kind dargestellt, das seine ersten Stehversuche macht. Beide Figuren werden durch die hokkende Stellung der Mutter in der Kompositionsform eines Dreiecks zu einer Einheit verbunden. Mit dem einfachen, klaren Aufbau korrespondiert der auf wenige, sehr bestimmt gesetzte Hauptlinien reduzierte Zeichenstil, der sich durch gleichmäßig festen Auftrag auszeichnet.

Die Figurengruppe wird auch in der Binnengliederung auf geometrische Grundformen zurückgeführt: Kreise oder Halbbögen geben die Körperrundungen, gerade und waagerechte Linien die aufstrebenden bzw. lagernden Richtungsbezüge an. Aufschlußreich ist in diesem Zusammenhang die vereinfachte Wiedergabe der beiden Köpfe oder der linken Hand der Frau. Dennoch wird durch die vergleichsweise nüchterne Abstraktion, die Rembrandt nur in diesen beiden Blättern so weit treibt, der Darstellung nichts an Spontaneität und Natürlichkeit genommen. Wie die Mutter mit hochgezogenen Augenbrauen aufmerksam das labile Gleichgewicht des Kindes bewacht und vorsichtshalber beide Arme bereithält, um einen eventuellen Sturz abzufangen, das vermittelt einen höchst lebendigen Eindruck.

Mit den einfachsten Mitteln gelingt es Rembrandt in diesem Blatt das »Momentane« der Augenblickssituation mit dem »Bleibenden« der in sich ruhenden formalen Gestaltung zu verschmelzen. Die vollkommen harmonisch sich darbietende Figurengruppe ist fast unmerklich von innerer Spannung erfüllt. Diese äußert sich nicht mehr in lebhafter Aktion wie um die Mitte der 30er Jahre, sondern sie entwickelt sich aus der äußerlichen Ruhe, welche durch die angespannte Haltung der Mutter – die gespreizte Hand und die hochgezogenen Brauen – als trügerisch gekennzeichnet ist. Der Betrachter erfährt dadurch ganz unmittelbar, daß die scheinbare Standfestigkeit des Kindes jeden Augenblick in Unsicherheit umschlagen kann.

Eine Abwandlung des hier behandelten Themas bringen die beiden Kreidezeichnungen in Amsterdam und Breslau (Kat. Nr. 59, 61), die die ersten Stehversuche eines Kindes unter mütterlicher Anleitung zeigen. Besonders reizend ist die Darstellung auf dem Amsterdamer Blatt (Kat. Nr. 59). Mit ganz weichen, lichthaltigen Kreidestrichen nimmt Rembrandt hier Mutter und Kind von vorne auf, wobei die Mutter nur in Halbfigur auf dem Papier erscheint. Vorsichtig hält sie das Kind unter den Achseln fest und beobachtet die wackelige Haltung seiner Beinchen. Das Kind aber, das dem Betrachter einen grämlichen Blick zuwirft, kann mit der ungewohnten Stellung sichtlich noch nichts anfangen.

Auf der Zeichnung Kat. Nr. 62 sehen wir eine Frau, die sich mit einem Kind im Kinderstühlchen beschäftigt. Über dem Gesicht der Frau, die mit dem aufmerksam dreinschauenden Kind zu sprechen scheint, liegt ein liebevolles Lächeln. Beide Figuren sitzen sich in ruhiger flächenmäßiger Anordnung gegenüber, die nur durch die geringfügige Schrägstellung des Kindersessels ein wenig Tiefe gewinnt.

Formal wie inhaltlich ist Rembrandt um einen Ausgleich zwischen Ruhe und Bewegung bemüht. So wird das statische Dasitzen der Figuren nur durch eine flüchtige Handbewegung der Frau – die dem Kinde offenbar etwas darreichen will – und durch ihren im Sprechen geöffneten Mund in sich leicht bewegt.

Die Kreidetechnik erreicht in dieser Zeichnung ein hohes Maß an sensibler Stufung. Knappe, lichterfüllte Kreidestriche umreißen die Figuren in ihren markanten Partien; weiche, tonig-schimmernde Parallelschraffuren stellen die Verbindung mit dem Raume her. Der Nuancenreichtum entspricht der zarten seelischen Gestimmtheit der beiden Menschen auf das Vollkommenste.

Denselben Reichtum an zart-gestuften tonigen Werten erreicht Rembrandt mit den Mitteln der kombinierten Feder- und Pinselzeichnung in dem Blatt »Die ersten freien Schritte« (Kat. Nr. 63), das mit den Zeichnungen Kat. Nr. 64–72 die zweite Gruppe der ersten Stilrichtung vertritt.[27]

Dargestellt sind zwei einander gegenüberstehende Frauen, die sich einem Kind zuwenden, das auf wackeligen Beinchen in ihrer Mitte steht. Das Kind hält sich mit der linken Hand am Rock der Mutter fest, während es mit der rechten versucht, die freundlich ihm entgegengestreckte Hand der anderen Frau zu ergreifen. Mit äußerster Sensibilität für die Erlebniswelt von Mutter und Kind schildert Rembrandt, wie die beiden Frauen der Unsicherheit des Kindes und seinem Zögern mit einem aufmunternden Lachen und hilfreichen Gesten begegnen und von diesem ein bereitwillig strahlendes Lächeln ernten. Er gibt gerade den Zeitpunkt wieder, der dem sichtlich reifenden Entschluß des Kindes, die Distanz zu der dargebotenen Hand selbständig zu überwinden, vorausgeht. Damit kommt ein zeitliches Moment in die Darstellung, wie es in den Zeichnungen der »barocken« Periode häufig begegnete. Aber hier wird nicht der Höhepunkt des Geschehens aufgenommen, wie Rembrandt es um die Mitte der 30er Jahre zu tun pflegte, sondern der Augenblick spannungsvoller Ruhe, der kurz vorhergeht. Man sieht es förmlich: Gleich wird das Kind den Rock der Mutter loslassen und unbewußt die ersten freien Schritte tun. Voller Erwartung beugt sich die Mutter mit verschränkten Armen von oben über das Kind, um das Ereignis genau verfolgen zu können.

Auch kompositionell wird äußerliche Ruhe angestrebt, die nur ganz leicht, gleichsam von innen her, bewegt ist. Die beiden Frauen, die ein wenig schräg in den Raum hinein angeordnet sind, festigen die Komposition in der Vertikalen und runden sie durch ihre Körperneigung nach oben hin ab. Zwischen ihnen vermittelt das Kind mit seinen ausgebreiteten Armen.

Die zeichnerische Durchführung ist ebenfalls von einem spannungsvollen Wechsel verschiedener Elemente gekennzeichnet. Zarte, sensibel geführte Kielfederstriche – die vor allen Dingen in den Köpfen eingesetzt werden – treten neben breite, kraftvoll akzentuierende Feder- und Pinselstriche. Duftige Pinsellavierungen sorgen für weiche, atmosphärische Übergänge und tragen zu der reichen malerischen Wirkung des Blattes bei. Insbesondere die Figur des Kindes gewinnt aus der atmosphärischen Behandlung ihren eigentlichen Reiz. Seine Konturen werden auf der Schattenseite von hauchzarten Lavierungen umflossen, während die dem Licht zugewandte Vorderseite und sein strahlendes Gesichtchen vom Licht verklärt sind.

Die Zeichnungen Kat. Nr. 64–67 halten ebenfalls vergleichsweise flüchtige Augenblicksereignisse aus dem Leben des Kleinkindes fest. Doch Rembrandt mildert das Element spontaner Bewegung durch seinen beruhigten Kompositions- und Zeichenstil, so daß ein Eindruck spannungsvoller Ausgeglichenheit entsteht.

Das Blatt Kat. Nr. 66 enthält drei Skizzen von einem alten Mann, der mit einem Kind spielt. In der unteren Studie sieht man ihn im Sitzen damit beschäftigt, das Kind auf seinen Knien zum Stehen zu bringen. Dieses hat sich jedoch die erhöhte Stellung unbemerkt zunutze gemacht, um an der Kappe des Alten zu ziehen. Die Skizze darüber zeigt den Alten in Halbfigur, wie er bemüht ist, sich dem Zugriff des Kindes zu entziehen. Indem er das Kind von sich wegzuhalten versucht, weicht er mit dem Kopf nach links aus – jedoch vergeblich: Der Kleine ist der Mütze bereits habhaft geworden, und die Blöße der Glatze hat sich peinlich offenbart.

Rembrandt verfolgt hier mit feinem Humor, wie der gutmütige Alte mit dem Kind zu spielen vermeint, ohne gewahr zu werden, daß dieses seinerseits ihn zum Objekt seines Spiels gemacht hat. Dabei hat der harmlose Spieltrieb des Kindes – wie so oft bei Kindern – ungewollt entlarvende Funktion.

Offenbar fand Rembrandt den Vorgang in seinen verschiedenen Entwicklungsphasen so reizvoll, daß er nicht umhin konnte, ihn in zwei Folgen niederzuschreiben. Auf dieselbe Weise verfährt er in den Zeichnungen »Junge Frau und Kind, das mit einem Buch spielt« (Kat. Nr. 67) und »Schwierigkeiten beim Füttern« (Kat. Nr. 81), die ebenfalls einen zeitlichen Ablauf wiedergeben. In seinem Spätwerk wird man derartigen Elementen, die der Vergänglichkeit des Augenblicks Rechnung tragen, nicht mehr begegnen.

Kompositorisch und zeichentechnisch versucht Rembrandt trotz des raschen Bewegungsmotivs die Figurengruppe in ruhige Form zu bannen. Die in ihrer Körperlichkeit kraftvoll betonte Gestalt des Alten hält ein strenges rechtwinkliges Sitzmotiv ein, das in seiner Festigkeit durch die breite, dreiecksförmige Beinstellung unterstrichen wird. Das auf den Knien stehende Kind gibt die Vertikale an und schließt mit seinen ausgestreckten Armen die Komposition nach oben ab. Das eigentliche Kräftefeld, das von dem leicht gekrümmten Rücken des Mannes, seinem Schoß und dem Körper des Kindes begrenzt wird, hat Rembrandt mit breiten, geradlinigen Federzügen herausgestrichen und zu einem Fünfeck zusammengezogen. Diese äußerlich ruhige Kompositionsfigur ist in sich spannungsvoll bewegt. Sie umschließt die schrägen Bewegungslinien von Oberarm und seitlich geneigtem Kopf des Alten und der herabrutschenden Mütze.

In den Blättern Kat. Nr. 68-70 greift Rembrandt das Motiv der weiblichen Sitzfigur mit Kind in der Kompositionsform eines rechtwinkligen Dreiecks wieder auf, womit er sich bereits in den Studien Kat. Nr. 48 und 49 beschäftigt hatte. Das dort in seiner abstrakten Klarheit noch etwas hart vorgetragene Kompositionsschema wird jetzt in seiner harmonischen Geschlossenheit souverän zur Wirkung gebracht. Gegenüber den Blättern Kat. Nr. 48 und 49 ist das Thema in diesen Zeichnungen über den Reiz des Formalen hinaus geistig vertieft. Innere und äußere Harmonie verdichten sich in allen drei Studien zu einem anmutigen Bild inniger Mutter-Kind-Beziehungen.

Auf dem Blatt aus der Sammlung Lugt in Paris (Kat. Nr. 68) sehen wir den Säugling zufrieden an einem Lutscher nuckelnd in den

Schoß der Mutter gebettet. Die Stockholmer Zeichnung (Kat. Nr. 69 recto) zeigt ein Kind, das von der mütterlichen Umarmung warm umschlossen an der Brust der Mutter trinkt. Von dem Säugling sind nur das runde Köpfchen und ein dralles, auf der mütterlichen Brust ruhendes Ärmchen zu sehen. Der Kopf der Mutter, der sich besorgt über das Kind beugt, ist dagegen sehr eindringlich, wenn auch stark vereinfacht charakterisiert.

Die klare Formgebung der genannten Blätter wird mit einer vergleichsweise ruhigen, Konzentration durch Vereinfachung anstrebenden Zeichensprache in ihrer Wirkung gesteigert. Mit breiten Federzügen zieht Rembrandt die Figurengruppe jeweils auf wenige Hauptlinien zusammen, wobei er gleichzeitig ihre Erscheinung in Licht und Schatten durch kontrastreich gesetzte Dunkelheiten angibt.

Eine ähnlich kraftvoll reduzierte, die Figuren sehr lebendig in Hell und Dunkel beschreibende Zeichenweise läßt das Stockholmer Studienblatt mit den Laufübungen eines Kindes (Kat. Nr. 71) erkennen. Dargestellt ist eine alte Frau, die ein Kind am Gängelband führt. Kopf und Arme des Kindes sind daneben noch einmal skizziert. Offenbar gibt diese Skizze einen kleinen Zwischenfall wieder, denn hier scheint das Fallhütchen über die Augen des Kleinen gerutscht zu sein. Der hängenden Mundstellung nach zu urteilen, wird sich sein Unmut gleich in einem Protestgeschrei kundtun.

Es ist sehr bezeichnend, wie Rembrandt die Figuren nur in ihren charakteristischen Partien wiedergibt, d. h. ungefähr bis zur Kniehöhe. Nach unten zu scheinen sich die Linien in Luft und Licht aufzulösen. Trotzdem wird eine geschlossene Vorstellung vermittelt, denn die Figuren gehen optisch eine Verbindung mit der sie umgebenden Atmosphäre ein. Diese ist jedoch nur in der an- und abschwellenden Zeichenweise, nicht etwa in Lavierungen gegenwärtig. Die blitzartige Niederschrift bringt den Reiz andeutungsweiser Gestaltung meisterhaft zum Tragen und verstärkt für den Betrachter den Eindruck unmittelbarer Zeugenschaft an einem Augenblickserlebnis. Mit der ruhigen Figurenanordnung und der bei aller Suggestivität doch sehr bestimmten Zeichensprache gelingt es Rembrandt jedoch, die augenblickshafte Erscheinung zugleich als etwas Bleibendes zu begreifen.

Zu Beginn der 40er Jahre macht sich in Rembrandts Zeichnungen ein Interesse an bildmäßig angelegten vielfigurigen Darstellungen bemerkbar.

Die Zeichnungen Kat. Nr. 72–75 kreisen alle um das Thema der im Holland des 17. Jahrhunderts sehr beliebten Kinderumzüge von Haus zu Haus.

Kat. Nr. 72 behandelt das sogenannte »Sternsingen« am Dreikönigsabend, an dem von Kindern oder jungen Leuten singend ein leuchtender Stern durch die Straßen getragen wurde. Wir sehen eine Gruppe von Kindern mit dem Stern vor der Halbtüre eines Hauses stehen, über welche zwei Frauen und zwei Kinder neugierig hinausschauen. Weitere Zuschauer haben sich hinzugesellt, so zwei Herren mit Hut und Umhang und eine Frau mit Einkaufskorb, die ein Kind auf dem Arm trägt. Ein Mädchen, das ein kleineres Kind an der Hand hinter sich herzieht, kommt aufgeregt von rechts herbeigelaufen. Der Sternträger, der sich ungefähr in der Mitte der Komposition befindet, dient einem raffinierten Lichteffekt nach Art der niederländischen Caravaggisten. Er selbst ist als dunkel verschattete Rückenfigur im Vordergrund der Szene gegeben, während die kreisförmig um ihn angeordneten Kinder und Erwachsenen von dem Stern, den er vor sich herträgt, in helles Licht getaucht sind.

Die Szene spielt sich sichtlich in abendlicher Dunkelheit ab, die durch enge Schraffuren und Lavierungen im Hintergrund sowie durch ein abstraktes Linienspiel in der oberen Zone markiert ist. Die von der künstlichen Lichtquelle flackernd sich ausbreitende Helligkeit, die ringsum scharfe Hell-Dunkel-Kontraste hervorruft, ist bewußt als gliederndes Moment eingesetzt. Das Blatt kommt darin den künstlerischen Bestrebungen Rembrandts auf dem Gebiet der Malerei zu Beginn der 40er Jahre außerordentlich nahe. Benesch erinnert mit Recht an das 1642 datierte Gruppenbild »›Die Nachtwache‹« (Br. 410; Textabb. 20).[28] Mit diesem Bild verbindet die vorliegende Zeichnung auch die rhythmische Gliederung der Menschenansammlung in einem bewegten Auf und Ab unterschiedlicher Kopfhöhen und einem lebendigen Vor- und Zurückspringen im

20 Rembrandt, »Die Nachtwache«. 1642. Öl auf Leinwand. 359 × 438 cm. Amsterdam, Rijksmuseum

Raum. Aufschlußreich ist in diesem Zusammenhang die Zäsur zwischen den beiden Männern rechts und der Frau in der Mitte, die ursprünglich von einer dritten Person ausgefüllt war. Rembrandt hat diese Figur offensichtlich wieder gelöscht, um eine gleichmäßige Reihung zu vermeiden.

Ein für die 40er Jahre höchst charakteristisches Element ist neben der gliedernden Funktion des Lichtes und der ausgesprochen atmosphärischen Behandlung die betonte Anordnung der Figuren in den Raum hinein. Ähnlich der »Nachtwache« dehnt sich die Menschengruppe in die Tiefe des Raumes hinein aus bzw. dringt aus ihr hervor. Auch der Raum zwischen den Figuren ist teilweise am Boden ablesbar.

Neben dem Bemühen um Klärung und Festigung der Komposition ist gerade in diesem Blatt Rembrandts Interesse an lebhaften Kontrasten aller Art immer noch wirksam. Es offenbart sich an den malerischen Licht-Schatten-Spielen sowie an der auf- und abschwellenden Strichführung, die die Figuren sehr beweglich in Hell und Dunkel formuliert.

Die Freude an kontrastreicher Darstellung äußert sich aber auch in der Wiedergabe der einzelnen Personen und ihrer unterschiedlichen Verhaltensweisen. Rembrandt hat hier eine Fülle von köstlichen Beobachtungen festgehalten. Von den beiden Jungen rechts und links des Sternträgers hat der eine den Finger im Mund, während der andere mit offenem Munde in stummem Staunen verharrt. Das kleine Mädchen rechts, das so eilig mit seinem Schwesterchen angelaufen kommt, will nichts verpassen, überfordert in seiner Hast aber das jüngere Kind, das mit heftigem Geschrei protestiert. Ebenso fein nuanciert ist die Reaktion der Erwachsenen. Die beiden Herren rechts stehen bewußt distanziert da und wenden sich nur beiläufig dem Kinderschauspiel zu. Die Mutter mit dem Kind dagegen scheut sich nicht, ihr Interesse kundzutun und sich mitten unter die Kinder zu mischen.

Ähnlich vielseitig sind die Beobachtungen an den Zuschauergruppen der Blätter Kat. Nr. 73–75, die den Umzug von Straßenkindern am Fastnachtsdienstag zum Thema haben. An diesem Tag zogen die Kinder mit dem sogenannten Rommelpot von Haus zu Haus und tanzten zu seinem Rhythmus. Rembrandt hat hier offensichtlich eine bestimmte Musikantengruppe verfolgt, denn die Straßenkinder bleiben, von kleinen Veränderungen der Kleidung abgesehen, in allen drei Blättern dieselben, während die Zuschauer jeweils wechseln.

Die Zeichnungen in London und Weimar (Kat. Nr. 74, 75) zeigen drei musizierende Kinder vor der Tür eines Hauses, aus welchem die Bewohner voller Anteilnahme herausschauen. Der Rommelpotspieler wird von einem Jungen begleitet, der ein einfaches Saiteninstrument streicht. Diese Figur fehlt auf Kat. Nr. 73. Der dritte Junge ist jeweils in leichter Tanzbewegung gegeben. Sein lockeres Gewand folgt der Bewegung in wellenförmigen Faltenschwüngen.

Allen Blättern ist eine einfache, nach den Grundrichtungen von Horizontale und Vertikale gegliederte Komposition eigen. Die vergleichsweise unruhige Silhouette der Figuren hebt sich jeweils wirkungsvoll von einem ruhigen Wandhintergrund ab, der die Komposition nach der Tiefe zu abschließt und festigt. Die dargestellten Personen sind mit sicherem Gefühl für dramatische Wirksamkeit zu Gruppen zusammengefaßt und spannungsvoll gegeneinander abgesetzt. Die dreiecksförmig einander zugeordneten Kinder im Vordergrund bleiben deutlich abgerückt von den Hausbewohnern. Kompositionell sind sie diesen jedoch durch die Anordnung aller Figuren in einer Kreisform einerseits und durch das allseitig auf sie gerichtete Interesse andererseits verbunden. Auf diese Weise wird der Unterschied zwischen den im Hause behüteten Kleinkindern und den vitalen Straßenkindern eindrucksvoll zum Ausdruck gebracht. In der zuhörenden Gesellschaft sorgt eine Zäsur zwischen dem still und abgeklärt lauschenden alten Mann auf der linken und der vor Neugier unruhig bewegten Gruppe von Frauen und Kindern auf der rechten Seite für ein rhythmisches Gegeneinander der verschiedenen Temperamente.

Mit den Blättern Kat. Nr. 76–78 gehört die Gruppe dieser drei Zeichnungen zu der oben erwähnten zweiten Stilrichtung der Periode 1639–1643, die am Anfang der 40er Jahre in Erscheinung tritt.[29] Die Zeichentechnik ist durch eine sehr zarte, in weichen Rundungen verlaufende Liniensprache gekennzeichnet. Die Figuren sind mit spitzer Feder locker und knapp vom Umriß her erfaßt, wobei die Atmosphäre silbrig schimmernd in den nahezu durchsichtig wirkenden Federstrich eingegangen ist.

Hier ist ein fortschreitendes Bemühen um Konzentration und Vereinheitlichung der Strichführung zu beobachten. Zugleich werden in der leicht brüchigen Struktur des Federstrichs, der das Licht in sich aufzusaugen scheint, erste Ansätze spürbar, die ein Jahrzehnt später zu der Ausbildung von Rembrandts Spätstil führen.

Kat. Nr. 78 enthält zwei Porträtstudien eines Kindes mit Fallhütchen. Die Atmosphäre, die sich aus dem lichthaften Strich entwikkelt, umspielt weich die Konturen des Kindes, wodurch sein zartes Alter meisterhaft charakterisiert wird.

Rückblickend gibt sich die zweite Periode der Kinderzeichnungen aus entwicklungsgeschichtlicher Sicht als eine Zeit des stilistischen

Umbruchs zu erkennen, die – wie auch die nachfolgende Periode 1644–1650 – zwischen dem »barocken« Stil der 30er Jahre und dem reifen Spätstil vermittelt.

Sie ist gekennzeichnet von einem Ringen um neue Ausdrucksmöglichkeiten, welche dem neu erwachten Bedürfnis nach harmonischer Gestaltung in inhaltlicher und formaler Hinsicht genügen. Die Gewohnheiten der 30er Jahre – der unbefangene Realismus, die spannungsreiche Erzählweise und der dynamische Zeichenstil – bleiben im Ansatz zwar erhalten, werden aber zurückgedämpft, verfeinert und zugleich vertieft.

Rembrandts menschliches Interesse an der Erlebniswelt des Kindes verlagert sich von den lauten, dramatischen Ereignissen und den sie begleitenden heftigen Gefühlsentladungen, die sein Temperament in den 30er Jahren so sehr angesprochen hatten, auf stillere Situationen, in denen zarte, unaussprechliche Stimmungen und Empfindungen mitschwingen.

Dieser Prozeß der Verinnerlichung, der sich stilistisch in einer zunehmend konzentrierter und subtiler werdenden Handhabung der zeichnerischen Mittel niederschlägt, wird auch in der Folgezeit die Entwicklung der Rembrandtschen Kinderzeichnungen bestimmen.

Gleichzeitig beginnt sich ein neues Verhältnis zur Wirklichkeit abzuzeichnen. Das Bedürfnis, die dargestellten Ereignisse und Personen in ihrer Einmaligkeit festzuhalten, ist zwar durchaus noch spürbar – man erinnere sich an die Zeichnungen von Kinderumzügen (Kat. Nr. 72–75) –, wird aber zusehends von einer Auffassung verdrängt, die das Typische am individuellen Einzelfall hervorkehren möchte. Die Erfahrungen eines Kindes, das beispielsweise stehen oder laufen lernt (Kat. Nr. 53–55 oder Kat. Nr. 63, 71), sind so weit auf das Wesentliche verdichtet, daß sie als allgemeingültige Formulierungen dieses Vorganges und seines Erlebnisinhaltes schlechthin gelten können.

Rembrandt beginnt in dieser Zeit die Figuren auch schon so weit zu vereinfachen, ja in ersten Ansätzen zu abstrahieren, daß die Frage nach der dargestellten Kinderpersönlichkeit – die sich in den 30er Jahren berechtigterweise stellte – allmählich gegenstandslos wird. Es ist ganz charakteristisch, daß die Zeichnungen, die wir hier der

Periode 1639–1643 zuordnen, bisher keinen Identifizierungsversuchen unterzogen worden sind, abgesehen von den Porträts (Kat. Nr. 47, 78) und der Skizze »Am Gängelband« (Kat. Nr. 71), die man mit den beiden Söhnen Rumbartus bzw. Titus in Verbindung bringen wollte. Das muß um so mehr verwundern, als gerade in dieser Zeit der 1641 geborene Titus heranwuchs. Theoretisch wäre es natürlich durchaus möglich, daß die Blätter Kat. Nr. 59–71 und Kat. Nr. 77–80 diesen Sohn wiedergeben, denn ihnen liegen sicherlich konkrete Beobachtungen an bestimmten Kindern zugrunde. Aber Rembrandt geht es in allen diesen Zeichnungen, so intim ihre Wirkung auch sein mag, doch weniger um individuell geprägte als vielmehr um besonders charakteristische Erlebnisinhalte des Kindes.

Auch diese Tendenz, die individuelle Einzelbeobachtung auf eine allgemeingültige Formel zu bringen, wird im weiteren Verlauf der stilistischen Entwicklung zunehmen und an Aussagekraft gewinnen.

3 Vorbereitung des Spätstils (um 1644 – um 1650) – Vereinfachung und Konzentration der künstlerischen Mittel

Aus der Periode 1644–1650 haben wir wiederum einige zeitlich gesicherte Blätter. Dazu gehören auch zwei Kinderzeichnungen, und zwar die Kreidestudie »Kind in der Wiege« (Kat. Nr. 82), die ebenso wie die Blätter Ben. 567 und Ben. 569 (Textabb. 21, 22) in Verbindung mit dem Leningrader Gemälde »Die Heilige Familie« (Br. 570; Textabb. 26) aus dem Jahre 1645 entstanden ist, und die Bettlerskizze Kat. Nr. 86, die im Anschluß an die rückwärtige Porträtstudie für die Radierung H. 228 aus dem Jahre 1647 datiert werden kann.

Darüber hinaus sind für die Datierung der Kinderzeichnungen folgende gesicherte Blätter von Bedeutung:

1 »Der gute Samariter« (Ben. 556) – 1644 datiert;
2 »Hütte am Waldrand« (Ben. 815) – signiert und 1644 datiert;
3 »Weinende junge Frau« (Ben. 535) – Studie zu der »Ehebrecherin« (Br. 566) aus dem Jahre 1644;
4 »Junges Mädchen, das sich aus einem Fenster lehnt« (Ben. 700) – Entwurf für das »Mädchenbildnis« (Br. 368) aus dem Jahre 1645;
5 »Tobias und Anna mit der Ziege« (Ben. 572) – Zusammenhang mit dem 1645 datierten Berliner Gemälde (Br. 514);
6 zwei Porträtstudien des Jan Cornelisz. Sylvius für die Radierung (H. 225) aus dem Jahre 1646 (Ben. 762a, 763);
7 zwei männliche Aktstudien (Ben. 709/710) – Zusammenhang mit der Radierung (H. 222) aus dem Jahre 1646 (Textabb. 23);
8 »Susanna und die beiden Alten« (Ben. 592) – Studie für das 1647 datierte Berliner Gemälde (Br. 516);
9 zwei Porträtstudien des Jan Six (vgl. Textabb. 24) für die Radierung (H. 228) aus dem Jahre 1647 (Ben. 767/768).

Ferner kommen die beiden Radierungen »Das Rollwägelchen« und »Bettler an einer Haustür« (H. 222, 233; Textabb. 25) aus den Jahren 1646 und 1648 als Datierungsstütze für die Kinderzeichnungen dieser Zeit in Betracht.

Im Vergleich zu den beiden vorhergehenden Stilabschnitten ist die Anzahl der Kinderzeichnungen in der dritten Periode auffallend gering. Aus der Zeit von etwa 1644 bis um 1650 sind nur sieben Blätter erhalten, die sich mit diesem Thema beschäftigen, und davon können die Figurenstudien Kat. Nr. 83 und 85 noch nicht einmal als ausgesprochene Kinderzeichnungen gelten. Dem nachlassenden Interesse des Künstlers an dem Thema der Kinderdarstellung im

◁ 21 Rembrandt, Die Heilige Familie in der Schreinerwerkstatt. Um 1645. Feder in Bister. 16,1 × 15,8 cm. Bayonne, Musée Bonnat

22 Rembrandt, Die Heilige Familie, schlafend. Um 1645. Feder in Bister. 17,5 × 21,3 cm. Cambridge, Fitzwilliam Museum

Bereich der Zeichenkunst steht auf der anderen Seite ein verstärktes Eindringen von Kindermotiven in der religiösen Malerei gegenüber. Denn gerade in die zweite Hälfte der 40er Jahre fallen die berühmten Darstellungen der Heiligen Familie in Leningrad und Kassel (Br. 570, 572; Textabb. 26, 27), deren volkstümliche Mutter-Kind-Motive lebhaften Widerhall in der zeitgenössischen Kunst der Niederlande gefunden haben.

Bemerkenswert ist, daß Rembrandt – von der Federzeichnung »Schwierigkeiten beim Füttern« (Kat. Nr. 81) abgesehen – für alle Kinderzeichnungen dieser Periode den weichen Ton der Kreide bevorzugt, dessen mildes Schimmern einer intimen Auffassung des Themas besonders entgegenkommt.

24 Rembrandt, Jan Six, lesend, am Fenster stehend. Um 1647. Schwarze Kreide. 24,5 × 19,1 cm. Amsterdam, Sammlung Six

23 Rembrandt, Aktstudien mit einem Rollwagen. Um 1646. Ätzung und Stichel. 19,5 × 12,8 cm. Amsterdam, Rijksprentenkabinet

25 Rembrandt, Bettler an einer Haustür. 1648. Radierung. 16,4 × 12,8 cm. Amsterdam, Rijksprentenkabinet

26 Rembrandt, Die Heilige Familie mit den Engeln. 1645. Öl auf Leinwand. 117 × 91 cm. Leningrad, Eremitage

27 Rembrandt, Die Heilige Familie mit dem Vorhang. 1646. Öl auf Eichenholz, die oberen Ecken abgeschrägt. 46,5 × 68,8 cm. Kassel, Staatliche Kunstsammlungen ▷

Stilistisch zeichnet sich von der Mitte bis gegen Ende der 40er Jahre eine Entwicklung ab, die durch fortschreitende Konzentration auf das Wesentliche der Darstellung und durch Intensivierung der angewandten künstlerischen Mittel gekennzeichnet ist. Komposition und Strichführung werden, bei wachsender Klarheit und Festigkeit der Formgebung, immer sparsamer und eindringlicher zugleich. Dem entspricht inhaltlich die zunehmende Einfachheit der Motive, deren geistiger Gehalt sich gerade in der äußerlichen Schlichtheit auf das Reichste entfaltet.

In die Zeit um 1644/45 – also an den Beginn der dritten Periode der Kinderzeichnungen – fällt das Blatt mit der Darstellung des sogenannten »Witwers« (Kat. Nr. 81). Es ist ein später Nachklang der spannungsvollen Erzählweise, die insbesondere Rembrandts Zeichenstil der 30er Jahre bestimmt hatte, aber auch zu Beginn der 40er Jahre noch anzutreffen war.

Dargestellt ist ein sitzender Mann in Vorderansicht, der unter sichtlichen Schwierigkeiten einem kleinen Kind auf seinem Schoß ein Breichen einzufüttern versucht. Ein letztes Mal trägt Rembrandt in diesem Blatt dem zeitlichen Entwicklungsablauf eines geschilderten Vorganges Rechnung, indem er die verschiedenen kindlichen Verhaltensweisen, die sich von der ersten Verweigerung des dargebotenen Löffels bis zu lautem Protestgeschrei steigern, in zwei zusätzlichen Seitenskizzen festhält. Derartige Zeitelemente, die der dargestellten Szene etwas Zufälliges, Ausschnitthaftes geben und zugleich ihre Wandelbarkeit ins Bewußtsein bringen, werden künftig zugunsten einer überzeitlichen Zusammenschau mehr und mehr vermieden.

Sehr charakteristisch für die feinsinnige psychologische Auffassung des Künstlers ist die Tatsache, daß er für die Hauptzeichnung nicht den publikumswirksameren Zustand des brüllenden Kindes auf dem Schoß des machtlosen Vaters gewählt hat, sondern den in der Mimik des Kindes sehr viel feiner differenzierten Moment der ersten Ablehnung, der Ursache und Wirkung des folgenden Unmuts bereits in sich trägt. Auch wenn die beiden Seitenskizzen nicht vorhanden wären, würde jeder, der je ein Kind gefüttert hat, das folgende Geschrei vorausgeahnt haben.

Ein letztes Mal kommt in diesem Blatt auch Rembrandts Humor mit Temperament zum Durchbruch. Die ärgerlich umdüsterte Miene des Vaters, sein erfolgloses Drängen und schließlich die eigenwillige Selbstbehauptung des Kindes sind von außerordentlicher Komik. Humoristischen Zügen dieser Art begegnet man in den folgenden Jahren, in denen der Prozeß der Verinnerlichung weiter fortschreitet, nicht mehr.

Der lebhafte Erzählstil dieser Zeichnung, der durchaus an die spannungsvollen Kinderszenen der 30er Jahre erinnert, aber keineswegs ohne Parallelen in den 40er Jahren ist[30], hat Benesch offenbar zu seiner Frühdatierung um 1636/37 verführt. Die spontane Erfassung des Gegenstandes kann jedoch nicht darüber hinwegtäuschen, daß die Zeichensprache den Stilgewohnheiten der 40er Jahre entspricht; man denke etwa an das für die Zeit um 1645 gesicherte Blatt »Die Heilige Familie« (Ben. 569; Textabb. 22). Stilistisch ist die in ihrer Körperhaftigkeit sehr plastisch artikulierte Gestalt des »Witwers« der Figur des hl. Josef aus der »Heiligen Familie« unmittelbar verwandt. Das überdeutliche Herausarbeiten der Gliedmaßen und der Funktionalität ihrer Gelenke tritt hier eigentlich zum ersten Mal so ausgeprägt in Erscheinung. Sehr charakteristisch ist in diesem Zusammenhang die Behandlung der rechten Hand des Mannes, deren Fingergelenke, bei ansonsten sparsamer Detailschilderung, einzeln angegeben sind.

An diesen beiden Zeichnungen wird deutlich, daß Rembrandt sich in der Mitte der 40er Jahre um einen neuen Figurenstil bemüht, der weniger die optische Erscheinung als vielmehr die realen Körperverhältnisse des Menschen zu fassen versucht. Gleichzeitig tritt ein neues Empfinden für plastische Werte auf. Die runden Formen der derben Wade oder des gebeugten Kniegelenkes werden ganz bewußt betont.

Dabei gewinnen die Figuren zusehends an körperlicher Schwere. Im sogenannten »Witwer« (Kat. Nr. 81) bringt Rembrandt die kräftige, fast plumpe Gestalt des Mannes und sein breitbeiniges, scheinbar unerschütterliches Dasitzen wirkungsvoll in Kontrast zu seiner unbewältigten Aufgabe. Daß selbst dieser starke Mann dem Eigenwillen eines zarten Kindes gegenüber machtlos ist, erhöht die Komik der Situation ungemein.

Der Umstand, daß hier ein Mann bei einer gemeinhin als feminin empfundenen Tätigkeit wiedergegeben ist, hat dem Blatt die Bezeichnung »Der Witwer« eingetragen. Saxl geht noch einen Schritt weiter, indem er die Zeichnung für eine Selbstdarstellung des Künstlers aus der ersten Zeit seiner Witwerschaft hält und sie dem Lebensalter des kleinen Titus entsprechend um 1643 ansetzt.[31]

So verführerisch diese Interpretation sein mag, so wenig kann man dem dargestellten Männergesicht mit der scharf gebogenen Nase und den langen Locken eine Ähnlichkeit mit den Selbstbildnissen dieser Zeit entnehmen.[32] Außerdem sind für eine stilistische Einordnung des Blattes in das Jahr 1643 keine konkreten Anhaltspunkte gegeben. Dennoch mögen eigene Erfahrungen durchaus das Verständnis des Künstlers für derartige, im Umgang mit Kindern häufig zu beobachtende Vorfälle vertieft haben.

Die beiden Kreidezeichnungen von wandernden Bettlerfamilien (Kat. Nr. 86, 87) vertreten stilistisch das Ende der 40er Jahre. Das Amsterdamer Blatt (Kat. Nr. 86) kann im Anschluß an die rückseitige Vorstudie zu der datierten Radierung (H. 228) um 1647 angesetzt werden.

Wir sehen einen, wie es scheint blinden, Bettler sich mit Hilfe eines Stabes vorwärtstasten. An seiner Seite geht eine Frau mit dem jüngsten Kind auf dem Arm. Zwei etwas größere Kinder gehen selbständig voran. Während die derbe Figur des Alten am genauesten in ihren Proportionen festgehalten ist, beschränkt Rembrandt sich in den übrigen Figuren auf andeutende, zumeist den Umrißlinien folgende Angaben.

Kompositorisch fügen sich die dargestellten Personen zu einem geschlossenen Gruppenbild zusammen, das durch unterschiedliche Ansichten in sich reich bewegt ist. Während der Alte mit seinem tastenden Stock und dem blicklosen, lauschend angehobenen Kopf eine wirkungsvolle Profilansicht bietet, ist die müde, aber gefaßt einherschreitende Frau in Dreiviertelansicht gegeben. Die beiden älteren Kinder dagegen sind nur vom Rücken her gesehen.

Dem kleinen Kind auf dem Arm der Mutter ist es alleine vorbehalten, einen unbefangenen Blick auf den Betrachter zu werfen. Alle anderen Familienmitglieder sind der Sphäre des Betrachters entrückt. Auf die Richtung ihres Weges konzentriert, scheinen sie lautlos vorbeizuziehen, schicksalhaft in der Not befangen, in die der Betrachter nicht hineingezogen wird. Keine Bettelgesten, wie sie den Bettlerdarstellungen der 30er und frühen 40er Jahre z. T. eigen sind[33], wenden sich auffordernd an eine imaginäre Öffentlichkeit. Die Bildwelt ist vollkommen in sich abgeschlossen. Wir erleben eine Familie im Elend, deren Schicksal über den individuellen Einzelfall hinaus als allgemein menschliches Problem gekennzeichnet ist. Dabei liegt Rembrandt jede anklagende Absicht fern. Die Not dieser Außenseiter der Gesellschaft ist nicht sozialkritisch, sondern rein menschlich verstanden. Sie wird von den Betroffenen durchaus mit einer gewissen Größe getragen. Der äußerlichen Unbehaustheit stellt Rembrandt in dieser Bettlerzeichnung die innere Zusammengehörigkeit der einzelnen Familienmitglieder gegenüber. Wie sehr dennoch das harte Los der Familie die Kinder in Mitleidenschaft zieht, wird an der gedrückten, unkindlichen Haltung des ältesten Sohnes offenbar. Sie steht in auffälligem Gegensatz zu dem ungezwungenen Gesichtsausdruck des Kleinkindes, das dem schützenden Arm der Mutter noch nicht entwachsen ist. Mit einem einzigen spannungsvollen Bogen, der, ohne abzusetzen, vom Kopf des Jungen über seinen gebeugten Nacken und den gekrümmten Rükken verläuft, faßt Rembrandt die »Berufshaltung« seines Standes zu einer eindrucksvollen, schlichten Formel zusammen.

Zu Beginn der 40er Jahre dagegen behandelt Rembrandt dasselbe Thema in dem Warschauer Blatt (Kat. Nr. 76) noch ohne den Versuch, es zu verallgemeinern. Hier gibt er das individuelle Einzelschicksal einer Bettlerfamilie wieder, die mit zwei Kindern und einem Hund unterwegs ist. Unbefangen geht Rembrandt in dieser Zeichnung ins Detail. Der Alte streicht mißmutig eine Violine, während seine Frau, die sich durch ein unangenehm spitzes Profil auszeichnet, mit scharfen Augen nach dem fälligen Lohn Ausschau zu halten scheint. Die Kinder, von denen eins einen Reifen trägt, wirken dagegen unberührt von dem traurigen Los der Familie und machen eher den Eindruck, spazieren geführt zu werden. Die großartige schicksalhafte Überhöhung ins Allgemeinmenschliche, die Rembrandt gegen Ende der 40er Jahre erreicht, lag hier offenbar noch nicht in seiner Absicht.

Auch stilistisch ist der Unterschied zu dem jüngeren Blatt interessant. In der Zeichnung Kat. Nr. 76 sucht Rembrandts Feder mit sensibler Nervosität ihren Weg, bis in realistische Detailschilderungen hinein. Mit zarten runden Schwüngen verfolgt sie den Umriß der Figuren in Licht und Schatten. Dabei bleiben die Konturen offen und nehmen den Einfluß des Lichtes in sich auf. In der Kreidezeichnung Kat. Nr. 86 faßt Rembrandt dagegen die Figuren mit wenigen energischen Zügen straff zu einer Einheit zusammen. Dabei beginnt die Strichführung geradlinig zu werden und der Umriß sich allmählich zu schließen, wenn das Licht auch immer noch in die Form einbricht. Dennoch ist die menschliche Figur in diesem Blatt weniger malerisch, d. h. von der Atmosphäre bestimmt, aufgefaßt als zu Beginn der 40er Jahre. Der Strich ist weitgehend der Form verhaftet und betont ihre Plastizität. Die Funktionalität der einzelnen Glieder des Körpers wird bewußt herausgearbeitet. In ersten Ansätzen ist auch schon ein Eckigwerden der Gelenke zu beobachten – eine Tendenz, die auf den Figurenstil der 50er Jahre hinweist.

Ein letztes Mal äußert Rembrandt sich zu dem Thema der wandernden Bettlerfamilie in dem Blatt Kat. Nr. 87. In dieser Zeichnung ist die Familiengruppe vom Rücken her gesehen und bewegt sich vom Betrachter weg in die Tiefe des Raumes hinein. Seite an Seite sehen wir einen Mann mit Wanderstab, der einen Hund an der Leine führt, und eine Frau mit Henkelkorb gemeinsam ihren Weg verfolgen. Beide haben in einem Tragetuch ein Kind auf dem Rücken festgebunden – der breitschultrige Mann das größere, die gebeugte Frau das kleinere. Die Kinder schmiegen sich eng an den Rücken der Eltern, und zumindest das jüngere ist dort, seiner zusammengesackten Haltung nach zu urteilen, eingeschlafen.

In diesem Blatt ist die Typisierung der einzelnen Personen noch weiter fortgeschritten als in der Zeichnung Kat. Nr. 86. Die dargestellten Menschen wenden ihre Gesichter dem Betrachter nicht mehr zu, sondern wirken allein durch ihre ausdrucksvolle Rückenansicht. Sie verkörpern das Phänomen menschlicher Heimatlosigkeit ganz allgemein, ohne Festlegung auf ein individuelles Einzelschicksal. Zeichnerisch strebt Rembrandt äußerste Schlichtheit an. Die Figurengruppe ist mit summarischen, gleichmäßig fest aufgesetzten Kreidestrichen vorwiegend vom Umriß her erfaßt. Dabei wird weitgehende Geschlossenheit in der Konturierung erreicht. Das ruhige Nebeneinander und Miteinander der Personen wird durch die ausgeglichene Komposition zu monumentaler Wirkung gesteigert. Die Rückenfront des Elternpaares, der sich die Kinder weich anpassen, ist nach den Seiten zu abgerundet und zugleich in sich gefestigt. Bei zurückhaltender Binnengliederung entfaltet die Komposition sich in großen, einfachen Verhältnissen.

Auch die Behandlung des Figurenaufbaus zeichnet sich durch wachsende Klarheit aus, wobei das Körpervolumen voll zur Geltung kommt. Wiederum ist die derbe Männergestalt mit ihren kräftigen Gliedmaßen und dem schweren Schritt am deutlichsten artikuliert.

Die atmosphärischen Beobachtungen kommen unendlich sensibel, unter Vermeidung jeglicher Kontrastwirkung, zur Darstellung. Nur wenige Partien sind mit gleichmäßig weichen Schraffuren schattiert. Im übrigen verbreitet sich das Licht wie ein milder, silbrig schimmernder Ton aus der porösen Struktur des Kreidestrichs, so daß das einsam wandernde Paar von allseitigem Dunst umgeben zu sein scheint.[34] Man gewinnt den Eindruck, als sei hier gar kein realer Raum mit konkreten Hell-Dunkel-Erscheinungen mehr gemeint, sondern eher etwas Unfaßbares – Endlosigkeit schlechthin. Das Ziel der dargestellten Menschen bleibt unbestimmt. Sie sind in die Tiefe des Raumes hinein angeordnet, vor dessen Unendlichkeit die Einsamkeit und Hoffnungslosigkeit ihres Weges offenbar wird. Nur die im Schutze des elterlichen Rückens ruhenden Kinder vermitteln ein Gefühl familiärer Geborgenheit. Auch hier wieder klingt der versöhnliche, lebensbejahende Ton Rembrandts an, der ihn selbst in den Abgründen der menschlichen Existenz warme Menschlichkeit entdecken läßt.

Sehr aufschlußreich für den Rembrandtschen Zeichenstil der ausgehenden 40er Jahre ist das Verhältnis des Künstlers zu dem Phänomen der Zeit. Während Rembrandt in der Zeichnung »Der Witwer« (Kat. Nr. 81) das zeitliche Moment noch als ein Veränderung schaffendes Nacheinander verstand, begreift er es in der »Bettlerfamilie« (Kat. Nr. 87) zuständlich – so paradox das klingen mag. Wir erleben das Dahinziehen der Bettlerfamilie als einen Dauerzustand, der die entwurzelte Existenz dieser Menschen begründet. Der spannungsvolle Ausgleich zwischen Ruhe und Bewegung bzw. zwischen Dauerhaftigkeit und fortschreitender Zeit äußert sich stilistisch in der gefestigten Figurengestaltung einerseits und in dem endlosen Tiefenzug der Komposition andererseits. Das Motiv immerwährender Wanderschaft verdichtet sich somit in diesem Blatt zu einer allgemeingültigen Formel für die Situation des fahrenden Volkes schlechthin.

An diesem Punkt, an dem die Menschendarstellung gesteigerte Vergeistigung und Entrückung erreicht, ist die Schwelle zu Rembrandts reifem Spätstil schon fast überschritten.

4 Der reife Spätstil (um 1650–1669) – Abstraktion und Vergeistigung

Die 50er und 60er Jahre lassen ebenso wie die vorausgegangene Periode im Vergleich zu den 30er und frühen 40er Jahren eine nachlassende Aktivität im Bereich der Kinderzeichnung erkennen. Insgesamt sind uns aus den letzten beiden Jahrzehnten nur zwölf Kinderzeichnungen erhalten, die abgesehen von Kat. Nr. 99 alle in die 50er Jahre fallen. In seinen letzten Lebensjahren, etwa seit 1662, hat Rembrandt sich auf diesem Gebiet offenbar überhaupt nicht mehr betätigt.

Das muß um so mehr verwundern, als seine schönsten Kinderdarstellungen, die Reihe der Titus-Porträts aus der Mitte der 50er Jahre (Br. 120–123; vgl. Textabb. 32) und das späte Gruppenporträt einer unbekannten Familie (Br. 417; Textabb. 28), gerade in diese Periode gehören. Ob der Grund für das nachlassende Interesse an der genremäßigen Kinderzeichnung in der zunehmenden Konzentration auf den Einzelmenschen zu suchen ist, wobei Genremotive fast gänzlich ausgeschaltet werden, mag dahingestellt bleiben. In den wenigen erhaltenen Beispielen seiner reifen Zeichenkunst gelingt es Rembrandt jedoch, das Thema noch einmal zu höchster Aussagekraft zu steigern.

Stilistisch gliedert sich die letzte Periode der Kinderzeichnungen ganz grob gesehen in die erste und in die zweite Hälfte der 50er Jahre.

An zeitlich gesicherten Stücken kommen für die Datierung der Kinderzeichnungen folgende Blätter in Betracht:

1 »Studie eines Mädchens« (Ben. 1170) – Vorstudie für das Gemälde (Br. 377) aus dem Jahre 1651;

28 Rembrandt, Familienbild. Um 1668. Öl auf Leinwand. 126 × 167 cm. Braunschweig, Herzog Anton Ulrich-Museum

2 »Homer, Verse skandierend« (Ben. 913) – signiert und 1652 datiert (Textabb. 29).

Die ebenfalls in das Jahr 1652 datierten Zeichnungen Ben. 914 und Ben. 1278 bieten für die Kinderzeichnungen keine Vergleichsmöglichkeiten;

3 Planzeichnung (Ben. 1175) zu dem Gemälde »Die Anatomie des Dr. Deymann« (Br. 414) aus dem Jahre 1656;
4 »Die Ehebrecherin« (Ben. 1047) – auf die Rückseite einer Karte mit dem Datum 1659 gezeichnet (dieses darf als terminus post gelten);
5 »Simeon mit dem Christkind« (Ben. 1057) – signiert und 1661 datiert;
6 Vorzeichnung (Ben. 1061) zu dem spätestens 1662 fertiggestellten Gemälde »Die Verschwörung des Claudius Civilis« (Br. 482) – auf eine Todesanzeige aus dem Jahre 1661 gezeichnet (Textabb. 30);

7 Vorstudie (Ben. 1147) zu der Radierung (H. 303) aus dem Jahre 1661;
8 Vorstudien (Ben. 1178–1180) zu dem Gemälde »Die Staalmeesters« (Br. 415) aus dem Jahre 1662 (Textabb. 31).

Schon zu Beginn der 50er Jahre zeichnet sich mit der Mädchenstudie (Ben. 1170) und dem »Homer» (Ben. 913) eine neue Entwicklung in der Zeichentechnik ab. Es fällt auf, daß Rembrandt sich vorwiegend einer stumpfen Rohrfeder bedient, deren aufgebrochener, lichtgesättigter Strich als künstlerisches Mittel für die seelische Vertiefung der wiedergegebenen Szenen eingesetzt wird. Die Federzeichnung übernimmt damit Ausdrucksmöglichkeiten, die Rembrandt bisher in der Kreidetechnik erprobt hatte.

Wie man der Zeichnung von dem Verse skandierenden Homer (Ben. 913) aus dem Jahre 1652 entnehmen kann, wird die italienische Renaissance-Malerei in den 50er Jahren wiederum bedeutsam für Rembrandts Kunst. Die ruhige, ausgewogene Komposition lehnt sich an die Darstellung von Raffaels »Parnaß« an, die Rembrandt durch Stiche bekannt gewesen sein dürfte. Jetzt haben wir es jedoch nicht mehr – wie in den 30er Jahren – mit einer Dramatisierung der klassischen Vorlage zu tun, sondern mit einer Reduzierung der äußeren Gebärdensprache der dargestellten Menschen zugunsten einer Intensivierung ihrer seelischen Beziehungen untereinander.

Ähnliche Beobachtungen wird man auch an den Kinderzeichnungen dieser Epoche machen können, die klassische Einfachheit und harmonische Klarheit im formalen Bereich mit hintergründiger Vielschichtigkeit verknüpfen.

Der Weg, den Rembrandts Zeichenstil von der ersten Hälfte über die zweite Hälfte der 50er Jahre bis hin zu den Vorstudien zu den »Staalmeesters« aus dem Jahre 1662 (Ben. 1178–1180) zurücklegt, ist durch zunehmende Vereinfachung und wachsende Durchgeistigung gekennzeichnet. Während die Figurendarstellung in der ersten Hälfte der 50er Jahre immer noch weiche Rundungen zeigt, die den organischen Körperverhältnissen entsprechen, nimmt sie in der zweiten Hälfte der 50er und gegen Ende der 60er Jahre immer strengere geometrisch-abstrakte Formen an und wird zugleich flächiger. Die Körpergelenke stellen sich aufgrund der gesteigerten

Geradlinigkeit der Zeichensprache gerne in scharfen rechten Winkeln dar, wodurch die Körperbewegungen auf einfache und zugleich deutliche Weise artikuliert werden.[35]

Dieser Abstraktionsprozeß bedeutet in Verbindung mit den Auflösungstendenzen der Linienstruktur ein immer stärkeres Abrücken von der sinnlich erfahrbaren Wirklichkeit zugunsten seelischer Erlebnisse.

◁ 29 Rembrandt, Homer, Verse skandierend. 1652. Rohrfeder in Bister. 26,5 × 19 cm. Amsterdam, Sammlung Six

30 Rembrandt, Die Verschwörung des Claudius Civilis. Um 1661. Feder in Bister, laviert, etwas weiße Deckfarbe. 19,6 × 18 cm. München, Staatliche Graphische Sammlung

In die erste Hälfte der 50er Jahre gehören die Blätter Kat. Nr. 88 bis 94. In der Zeichnung »Eine Pfannkuchenbäckerin« (Kat. Nr. 90) greift Rembrandt zum letzten Mal das Thema der »Pfannkuchenbäckerin« auf, das ihn in den 30er Jahren mehrfach beschäftigt hatte. Ein Vergleich mit einer der frühen Fassungen (Kat. Nr. 8) mag die Besonderheiten des Rembrandtschen Spätstils gegenüber dem Stil der »barocken« Periode verdeutlichen. Obwohl Rembrandt sich

31 Rembrandt, Studie für einen der »Staalmeesters«. Um 1662. Feder, Pinsel in Bister, mit Weiß korrigiert. 22,5 × 17,5 cm. Rotterdam, Museum Boymans-van Beuningen

motivisch eng an die Formulierungen der 30er Jahre anschließt, erzielt er eine vollkommen neue Wirkung.

Dargestellt ist wiederum eine alte Pfannkuchenbäckerin im Kreise ihrer Kundschaft. Wie auf dem Blatt Kat. Nr. 8 sieht man sie von der Seite mit der Herstellung der Pfannkuchen beschäftigt. Um leichter hantieren zu können, hat sie sich aus dem Stuhl erhoben und steht in schwerfälliger Haltung über das Feuer gebeugt. Während Rembrandt in der Zeichnung Kat. Nr. 8 noch breit erzählend die einzelnen Käufer schildert und teilweise ganz detailliert charakterisiert, konzentriert er in diesem Blatt die Darstellung auf gleichmäßige summarische Angaben, die kompositorisch ein ruhiges, in sich geschlossenes Bild ergeben. Die Figuren sind eng zusammengerückt: in der Mitte die Alte in Seitenansicht, rechts neben ihr eine Frau in Vorderansicht, die in ihrer Tasche nach dem passenden Geldstück sucht, und vor ihr, mit dem Rücken zum Betrachter, eine auf dem Boden sitzende Frau mit einem Kind auf dem Schoß.

Keine der dargestellten Personen gibt ihr Gesicht zu erkennen. Während Rembrandt um die Mitte der 30er Jahre gerade an der individuellen Charakteristik der verschiedenen Menschen interessiert war und ihr Verhalten mimisch und gestisch möglichst realistisch zu erfassen versuchte, greift er hier zu Beginn der 50er Jahre zu einer fast abstrakten, überpersönlichen Gestaltungsweise. Wir erleben nicht so sehr den Einzelmenschen, sondern eher Typen. Die Pfannkuchenbäckerin ist mit wenigen Merkmalen als alte Frau charakterisiert: Zwei spannungsvolle Bögen geben ihren gekrümmten Rücken an, ein rechter Winkel verdeutlicht die Armbewegung, und zwei Haken kennzeichnen ihr scharfes, altersbedingtes Profil.

Ebenso summarisch ist die Wiedergabe der stehenden Frau. Ihr rascher Griff in die Rocktasche erinnert an dasselbe Motiv auf Kat. Nr. 8. Dort hatte Rembrandt die Suche nach dem Geldstück noch persönlich interpretiert und auf den dargestellten Jungen bezogen. Hier wird das Motiv dagegen zeichenhaft verwendet.

Im Gegensatz zu der spannungsvoll suchenden, zwischen genauer Detailschilderung und dynamischer Verkürzung wechselnden Zeichensprache der 30er Jahre drückt Rembrandt sich in der ersten Hälfte der 50er Jahre ganz einfach und prägnant aus. Dabei gewinnt die Einzellinie an Konzentration und geistiger Bedeutung. Im

Vergleich zu der geschlossenen Strichbildung der elastischen Kielfeder erzeugt die leicht gespreizte, sperrige Rohrfeder einen brüchigen, in sich vibrierenden Strich. Der Darstellung wird durch die geheimnisvolle Transparenz dieser Strichgebung der vordergründig reale Charakter genommen.

Hier wird eine Spannung gewonnen, die sich nicht mehr in äußerlichen Aktionen entlädt wie in den 30er Jahren, sondern als geistige Schwingung dem Strich innewohnt.

Die Blätter Kat. Nr. 91–94 geben in verschiedenen Variationen das Thema einer Frau wieder, die einen Säugling an der Brust nährt. Während die Zeichnungen Kat. Nr. 91–93 das Motiv als Halbfigurendarstellung behandeln, erscheint es auf dem Blatt Kat. Nr. 94 in Ganzfigur. Die Entwicklung, die Rembrandts Zeichenstil von der Mitte der 30er über die 40er bis in die 50er Jahre hinein genommen hat, läßt sich an Hand des klassischen Mutter-Kind-Motives sehr schön verfolgen, da dieses Thema im Laufe der Zeit immer wieder neu bearbeitet worden ist. Von den zahlreichen Beispielen seien hier die drei Blätter Kat. Nr. 19 (um 1635–38), Kat. Nr. 69 recto (um 1639–43) und Kat. Nr. 91 (um 1650–55) gegenübergestellt.

In der Zeichnung Kat. Nr. 19 geht es Rembrandt darum, individuelles Mutterglück darzustellen. Mit spitzer Kielfeder verfolgt er ganz genau das ausdrucksvolle Profil der Frau, deren Blick warm auf dem Kind an ihrer Brust ruht. Während das Kind mit raschen Feder- und Pinselzügen nur flüchtig als Hell-Dunkel-Reflex angedeutet ist, sind die wichtigen Partien der Mutter – der Kopf, der Oberkörper und die Hand an der Brust – sehr detailliert wiedergegeben.

Die reichen, sehr kontrastreich eingesetzten zeichnerischen Mittel werden durch die lebhaften Hell-Dunkel-Wirkungen des von links oben einfallenden Lichtes bereichert. Ausgedehnte Pinsellavierungen verdeutlichen das Spiel der Atmosphäre und geben dem Blatt eine malerische Note.

In der Zeichnung Kat. Nr. 69 recto kommt dasselbe Motiv bereits stark vereinfacht und weniger individuell gestaltet zur Darstellung. Hier erreicht Rembrandt durch kompositorische und zeichentechnische Konzentration eine Steigerung der Ausdrucksintensität. Die Figurengruppe ist mit wenigen breiten Federzügen sehr dynamisch zu einer Dreieckskomposition zusammengefaßt. Mit der gefestigten, in sich geschlossenen Formgebung übersetzt Rembrandt das Phänomen mütterlicher Wärme und kindlicher Geborgenheit in anschauliche Bildhaftigkeit.

Die Besonderheiten der Physiognomie stehen nicht mehr im Vordergrund des Interesses. An ihre Stelle sind eindringliche und zugleich typische Gesten getreten – etwa die innige Neigung der Mutter über ihr Kind oder die das Kind warm umschließende Umarmung. In der Strichführung strebt Rembrandt um diese Zeit bereits einheitlich ruhige Wirkung an, läßt in der Lichtbehandlung aber immer noch lebhafte Kontraste sprechen.

Die späte Zeichnung Kat. Nr. 91 führt das Thema schließlich in beinahe abstrakter Vereinfachung vor. Die Frau ist als Sitzfigur von vorne aufgenommen, während das Kind seitlings über ihrem Schoß liegt und trinkt. Mutter und Kind sind einander zugewandt, entziehen aber dem Betrachter ihre Gesichter. Nur der über das Kind gebeugte Kopf der Mutter läßt einen schmalen Nasenrücken und ein vorgewölbtes Kinn erkennen. Im übrigen entbehrt die Darstellung jeglicher Detailschilderung. Mit einem Minimum an Linien ist die Figurengruppe fast ohne Binnengliederung umrißhaft zusammengezogen. Dabei greift Rembrandt wiederum auf die klassische Dreieckskomposition zurück, löst ihre geschlossene Wirkung aber durch die transparente Struktur der Strichbildung wieder auf und entrückt dadurch die dargestellten Menschen der realen Alltagswelt.

Rembrandt will hier in seinem Spätwerk offensichtlich nichts mehr erklären – weder formal noch psychologisch. Seine künstlerische Aussage ist nicht mehr auf die Welt des Sichtbaren bezogen, sondern auf den rätselhaften Hintergrund des Daseins. Er läßt das Geheimnis um die menschliche Existenz, wie es sich in dem Phänomen der Mutter-Kind-Beziehungen darstellt, selbst sprechen. Dabei wird als künstlerisches Mittel das Licht eingesetzt, das nicht mehr als realer Lichteinfall auftritt, sondern als unbestimmbares Leuchten durch den Zeichenstrich hindurch scheint. So wird die Transzendenz der Dinge durch ihre optische Transparenz sinnlich erfahrbar. Damit erreicht Rembrandt in der Zeichnung ähnliche Wirkungen, wie er sie gleichzeitig mit seiner entmaterialisierten, lichtdurchlässigen Farbe erzielt.

Angesichts der fortschreitenden Abstraktion der Menschendarstellung in den Rembrandtschen Genrezeichnungen der Spätzeit erübrigt sich die Frage, ob etwa unter den Kinderdarstellungen der 50er Jahre mit Wiedergaben der im Jahre 1654 von Hendrickje geborenen Tochter Cornelia (III) zu rechnen sei. Theoretisch wäre es freilich möglich, daß Zeichnungen wie Kat. Nr. 88 und 89 oder Kat. Nr. 91–94 dieses Kind zeigen. Aber weshalb sollte man die summarischen Angaben dieser Säuglingsdarstellungen, die von der Vereinfachung besonders stark betroffen sind, zu fragwürdigen Identifizierungsversuchen heranziehen, wenn der Künstler selber bewußt auf eine individuelle Charakterisierung verzichtet hat?

Die zweite Hälfte der 50er Jahre wird durch die Zeichnungen Kat. Nr. 95–99 repräsentiert, wobei Kat. Nr. 99 auch zu Beginn der 60er Jahre entstanden sein kann. In diesen Blättern nimmt die Leuchtkraft der transparenten Zeichensprache und die Überhöhung der schlichten Kinderthemen zu allgemein menschlicher Bedeutung immer weiter zu.

Die Londoner Porträtstudie (Kat. Nr. 96) zeigt ein kleines Kind in Brusthöhe, dessen Ärmchen offenbar auf einer gewölbten Bettdecke aufliegen. Zeichentechnisch arbeitet Rembrandt in diesem Blatt – wie auch in der Skizze Kat. Nr. 95 – nicht mit der Einzellinie, sondern mit z. T. abstrakten Flächengebilden, die die Figur des Kindes als Hell-Dunkel-Erscheinung in einem Wechsel beleuchteter und verschatteter Flächen hervortreten lassen. Die hellen Partien des Kinderköpfchens und der weißen Decke heben sich sehr lebendig als Lichtreflexe von einem dunkel schraffierten Hintergrund ab. Die in spröden Streifen breit hingewischte Hintergrundschattierung umfängt das Kinderköpfchen mit rätselhafter Tiefe, aus der das Licht nur sehr verhalten an die Oberfläche dringt. Licht und Raumdunkel entziehen sich einer realen Bestimmung. Sie scheinen das Geheimnis um die Person des Kindes in sich zu beschließen. Der tiefgründige Blick, der traumverloren am Betrachter vorbeigeht, erinnert auffallend an das Titus-Porträt (Br. 120; Textabb. 32) in Rotterdam aus dem Jahre 1655, in welchem Rembrandt ebenfalls die Unergründlichkeit einer Kinderseele in dem Motiv traumhafter Versunkenheit zu fassen versucht.

32 Rembrandt, Rembrandts Sohn Titus am Schreibpult. 1655. Öl auf Leinwand. 77 × 63 cm. Rotterdam, Museum Boymans-van Beuningen

Um die Bedeutung dieser späten Porträtstudie gegenüber früheren Kinderporträtzeichnungen zu ermessen, erinnere man sich an die Blätter Kat. Nr. 32 (um 1635–38), Kat. Nr. 47 (um 1639–40) und Kat. Nr. 78 (um 1642–43).

In der kleinen Amsterdamer Zeichnung, die im Rembrandt-Haus aufbewahrt wird (Kat. Nr. 32), geht Rembrandt noch mit einer Vielzahl von zarten Federzügen auf die individuellen Besonderheiten der äußeren Erscheinung ein. Die Stockholmer Skizze (Kat. Nr. 47) ist bereits großzügiger in temperamentvollen Abkürzungen angelegt, bleibt im Kopf aber immer noch der Einzelbeobachtung verhaftet. Der Reiz dieses Blattes beruht auf seiner atmosphärischen Behandlung. Mit weichen Pinsellavierungen verfolgt Rembrandt hier die lebhaften Kontrastwirkungen des von links oben einfallenden Lichtes, das die rechte Gesichtshälfte fast vollkommen verschattet.

In den beiden Kreidestudien von einem Kind mit Fallhütchen (Kat. Nr. 78) werden dagegen Kontraste aller Art vermieden. Der luftige Kreidestrich zeichnet sich durch gleichmäßige, ruhige Führung aus. Der Kopf des Kindes wird zwar immer noch vergleichsweise realistisch in zwei verschiedenen Ansichten gezeigt, diese beschränken sich aber auf knappe, umrißhafte Angaben.

Im Gegensatz zu der sinnlich konkreten Auffassung der 30er und 40er Jahre, zeigt Rembrandt sich in den 50er Jahren kaum noch an der individuellen äußeren Erscheinung des Kindes interessiert. Es geht ihm nur noch um die geistige Substanz, um die rätselhafte Vielschichtigkeit der Kinderpersönlichkeit.

In den beiden Zeichnungen von einer Frau, die einem Kind hilft, sein Geschäftchen zu erledigen (Kat. Nr. 97, 98), wird ein geradezu banales Motiv aus dem Alltagsleben von Mutter und Kind durch den hintergründigen Spätstil bedeutungsmäßig überhöht. Obwohl die Szene ein Augenblickserlebnis wiedergibt, entbehrt sie vollkommen der Spontaneität, mit der Rembrandt in den 30er Jahren ein derartiges Motiv festgehalten hätte.

Mutter und Kind sind in ruhiger, rechteckig geschlossener Frontalansicht dargestellt. Der Strich, der äußerst sparsam den Umrissen der Figuren folgt, bewahrt in fast allen Partien strenge Geradlinigkeit. Die Bewegung in den Gelenken artikuliert sich in einfachen rechten Winkeln, die den Figuren ein nahezu abstraktes, kubisches Aussehen geben. Der brüchige, lichtgesättigte Rohrfederstrich ist zu höchster Leuchtkraft gebracht. Er vermittelt den Figuren, die im Licht zu fließen scheinen, einen unwirklichen, beinahe visionären Charakter. Durch die eindrucksvolle Schlichtheit von Kompositions- und Figurenstil gewinnt das Thema zugleich monumentale Größe.

Das Verhältnis zwischen Kind und Erwachsenem stellt sich in diesem Blatt und in allen anderen Zeichnungen der Spätzeit absolut harmonisch dar. Wir erleben keine Spannungen mehr, die sich in temperamentvoller Aktivität nach außen entladen, sondern Ruhe und Konzentration auf die Vielschichtigkeit der Beziehungen. Die zarten Mutter-Kind-Bindungen sind in geistige Spannung umgesetzt, die aus der Tiefe des in sich vibrierenden Federstrichs an die Oberfläche dringt.

In den 30er und 40er Jahren begnügte Rembrandt sich noch damit, die Erlebniswelt von Mutter und Kind real erfahrbar zu machen; in den 50er Jahren wird sie immer mehr Erscheinungsform unmeßbarer seelischer Beziehungen.

Die wahrscheinlich letzte Kinderzeichnung ist das Blatt »Unterricht im Laufen« (Kat. Nr. 99). Hier greift Rembrandt wiederum ein Thema aus dem Alltagsleben mit Kindern auf, das er wiederholt bearbeitet hat, und zwar das Motiv des laufen Lernens. Ein Vergleich mit zwei vorausgegangenen Fassungen, mit Kat. Nr. 1 (um 1634/35) und Kat. Nr. 55 (um 1639/40), der geeignet ist, die verschiedenen Stadien der künstlerischen Entwicklung noch einmal abschließend zu verdeutlichen, mag die Betrachtung der Kinderzeichnungen Rembrandts beenden.

In der frühen Zeichnung (Kat. Nr. 1) ist die Szene als Zufallserlebnis aufgefaßt, dessen Augenblickscharakter der Künstler durch eine möglichst unmittelbare Vergegenwärtigung dem Betrachter vermitteln will. Mit der impulsiven Handschrift der »barocken« Periode gibt Rembrandt ein Kind wieder, das von einer jungen Frau am Gängelband aus dem Haus heraus auf eine vor der Tür sitzende alte Frau zugeführt wird. Die spontane Geste dieser Frau, die dem kleinen Kind hilfreich die Arme entgegenstreckt, ist bewußt als flüchtiges Bewegungsmotiv charakterisiert.

Der grelle Lichteinfall, der die Gruppe von links oben trifft und sie sehr kontrastreich von dem dunklen Hauseingang absetzt, ist ebenfalls zur Verlebendigung der Szene im Sinne größtmöglicher Wirklichkeitstreue eingesetzt. So sind alle künstlerischen Mittel – die realistische Einzelbeobachtung, die Aufnahme zeitbezogener Elemente und das rasche, suggestiv wirkende Zeichentempo – darauf ausgerichtet, die Einmaligkeit der dargestellten Handlung zu betonen und den Betrachter direkt daran teilnehmen zu lassen.

Die Kreidezeichnung Kat. Nr. 55 ist schon sehr viel weniger auf unmittelbare Wirkung hin angelegt. Rembrandt bemüht sich hier gegen Ende der 30er Jahre um inhaltliche und formale Konzentration. Die Darstellung ist in sich abgerundet und gefestigt und hält bewußt Distanz zum Betrachter.

Wir sehen zwei Frauen, die mit liebevoller Fürsorge einem Kind in ihrer Mitte das Gehen beibringen. Beide beugen sich zu dem Kind herab und reden mit ermunternden Gesten auf es ein. Die ruhige, Einfachheit und Geschlossenheit anstrebende Strichführung erfaßt die Figuren weitgehend in ihrer umrißhaften Erscheinung.

Trotz der summarischen Behandlung ist allein aus den verschiedenartigen Rückenkrümmungen der Frauen der Generationsunterschied deutlich abzulesen[36]. Während der Rücken der jüngeren Frau einen elastisch gespannten Bogen beschreibt, läßt die ungewöhnlich starre, rechtwinklige Krümmung der älteren sichtlich Altersversteifung erkennen. So vermag in dieser Zeit ein einziger spannungsvoller Bogen bzw. ein einfacher rechter Winkel ebensoviel auszusagen wie der sehr viel größere Linienaufwand und die genaue Detailschilderung um die Mitte der 30er Jahre. Auch die Unsicherheit des Kindes wird mit der übermäßig konzentrierten, starren Ausgerichtetheit auf sehr einfache und zugleich eindringliche Weise verdeutlicht.

Obgleich die dargestellten Menschen nicht mehr individuell, sondern eher typisierend charakterisiert sind, geht es Rembrandt in diesem Blatt doch immer noch um eine Konkretisierung der Szene im realistischen Sinn. Der Prozeß des laufen Lernens ist lediglich von persönlicher Erlebnishaftigkeit befreit und auf eine allgemeingültige Formulierung gebracht worden. Die Art, wie Mutter und Großmutter gemeinsam das Kind zu seinen ersten Schritten ermutigen, kann wohl zeitlos genannt werden.

Gegen Ende der 50er Jahre geht Rembrandt das Thema in der Londoner Zeichnung (Kat. Nr. 99) mit dem zu eindringlicher Klarheit und transparenter Vielschichtigkeit entwickelten Spätstil noch einmal neu an. Dabei streift er den Realismus früherer Jahre fast gänzlich ab.

Wir sehen ein junges Mädchen und ein größeres Kind von hinten, die ein kleines Kind bei seinen ersten Gehversuchen unterstützen. Die Gruppe bewegt sich auf eine hockende Gestalt zu, die das Kind mit ausgebreiteten Armen in Empfang nehmen will. Im Hintergrund ist eine stehende Frau mit Eimer zu sehen, die den Vorgang mit Interesse verfolgt.

Die Komposition ist breit und flächig, ohne große Tiefenwirkung angelegt. Der Bewegungsvorgang spielt sich nicht mehr als Augenblickserlebnis vor unseren Augen ab, sondern ist ganz verhalten und zuständlich aufgefaßt. Die gedrungenen Figuren schließen sich in ruhiger Anordnung zu monumentaler Gruppenwirkung zusammen. Trotz der rationalen Klarheit im Aufbau und der erdhaften Schwere der Figuren, und obwohl die Szene in der Substanz durchaus realistisch und lebensnah gesehen ist, gelingt es Rembrandt doch, mit der unerklärlichen Leuchtkraft seiner Zeichensprache die Darstellung der Wirklichkeit zu entrücken. Breite, kräftige Federzüge verkürzen die Figuren mit strenger Geradlinigkeit zu abstrakten, beinahe geometrischen Gebilden. Dabei erweckt der aufgebrochene Federstrich den Eindruck, als ob die dargestellten Menschen im fließenden Licht stünden bzw. selber an dem zauberhaften Fluten des Lichtes teilhätten. Das Geheimnis menschlichen Daseins teilt sich dem Betrachter an dieser unfaßbaren, vermeintlich alltäglichen Szene ganz unmittelbar mit.

Die großartige Wirkung des Rembrandtschen Spätstils beruht auf der spannungsvollen Verbindung von an sich konträren Stilelementen. Der Verfestigung von Kompositions- und Zeichenstil steht die Auflösung der formalen Substanz in vibrierende Lichthaftigkeit gegenüber. Das bewirkt, daß die dem Anschein nach eindeutige, auf ganz einfache Formelemente reduzierte Figurendarstellung sich doch als nicht enträtselbare Vieldeutigkeit darstellt. Zugleich bedeutet die Beschränkung der realistischen Einzelbeobachtung und des zeichentechnischen Aufwandes einen Gewinn an geistigem Gehalt.

Rembrandts künstlerische Betrachtungsweise vollzieht eine Entwicklung, die von induktivem bzw. empirischem zu deduktivem Vorgehen fortschreitet. Während Rembrandt in den 30er Jahren über sorgfältige Naturbeobachtungen zu dem geistigen Kern der beobachteten Menschen und Situationen vorzudringen versucht, ist die Welt des Sichtbaren in seinem Spätstil nur noch Durchgangsmedium für eine tiefere Wirklichkeit. Dementsprechend verliert sein Zeichenstil den Charakter spontaner Unmittelbarkeit. Nicht die Einmaligkeit der dargestellten Personen und Ereignisse stehen im Vordergrund des künstlerischen Interesses, sondern ihre Allgemeingültigkeit.

Für die Kinderdarstellung bedeutet das eine Abkehr von der temperamentvollen realistischen Wiedergabe, die das Kind in erster Linie von seiner naturhaften Seite begriff, zu einer verinnerlichten Auffassung, die Unsagbares – die Unergründlichkeit der kindlichen Existenz – Gestalt werden läßt.

Anmerkungen:

1 C. Hofstede de Groot, Urkunden, a. a. O., Nr. 350.
2 Vgl. hierzu M.J. Friedländer, Das Genre, in: M.J. Friedländer, Über die Malerei, München 1963, S. 163.
3 Vgl. hierzu M.J. Friedländer, Rembrandts Zeichnungen, in: Zeitschrift für bildende Kunst, N. F. 26, Leipzig 1915, S. 213ff.
4 Vgl. hierzu H. Möhle, Holländische Zeichnungen des Kupferstichkabinetts in Berlin, Berlin 1948, S. 36.
5 Vgl. hierzu C. Neumann, a. a. O., 1921, S. 10.
6 I. H. van Eeghen, a. a. O., 1956, S. 144–146.
7 Vgl. darüber hinaus den ausführlichen Katalog der Kinderzeichnungen Rembrandts, den die Verfasserin in ihrer Arbeit über Rembrandts Kinderzeichnungen, Phil. Diss. Würzburg 1974, vorgelegt hat.
8 Vgl. hierzu W. von Alten, a. a. O., 1947, S. 17. Zum Problem des genauen Heiratstermines vgl. J. C. de Meyere, Rembrandt en het huwelijksrecht, in: Nederlands Juristenblatt, XXVI, 1968, S. 660–661;

ferner: H. F. Wijnmann, Rembrandt en Saskia wisselen trouwbeloften, in: Amstelodamum, 56, 1969, S. 156, und E. Haverkamp-Begemann, The present state of Rembrandt studies, in: The Art Bulletin, 53, 1971, S. 91.

9 So u. a. Valentiner, vgl. W. R. Valentiner, a. a. O., 1905, S. 29 ff.

10 Vgl. I. H. van Eeghen, a. a. O., 1956, S. 144–146, und J. G. van Gelder, Probleme der Frühzeit und Überblick über neue archivalische Funde, in: Kunstchronik, 1957, S. 118 f.

11 Gemeint ist der »Ganymed« von Correggio in Wien, Kunsthistorisches Museum.

12 Vgl. hierzu H. Kauffmann, in: Repertorium für Kunstwissenschaft, 41, 1919, S. 50.

13 Vgl. hierzu D. Frey, Das Fragmentarische als das Wandelbare bei Rembrandt, in: Das Unvollendete als künstlerische Form. Ein Symposion, hrsg. von J. A. Schmoll, Bern/München 1959, S. 91–116.

14 Zum Thema »Der Humor bei Rembrandt« vgl. E. Rentsch, a. a. O., 1909.

15 Wie Anm. 14.

16 Vgl. J. Springer, in: Amtliche Berichte aus den königlichen Kunstsammlungen, 31, 1909/1910, S. 152.

17 Vgl. C. Hofstede de Groot, Urkunden, a. a. O., Nr. 65; ferner: J. Gage, A note on Rembrandts »Meeste ende die naetuereelste beweechgelickheijt«, in: The Burlington Magazine, 111, 1969, S. 381.

18 Vgl. J. A. Emmens, Besprechung von: H. Gerson, Seven letters by Rembrandt, Den Haag 1961, in: Oud Holland, 78, 1963, S. 79 ff.

19 Vgl W. von Alten, a. a. O., 1947, S. 17.

20 Vgl. E. Trautscholdt, De Oude Koekebakster, in: Pantheon, 1961, S. 187 ff., Abb. 7 und 8.

21 Vgl. hierzu E. Rentsch, a. a. O., 1909, S. 25.

22 Vgl. J. van Rijckevorsel, a. a. O., 1932, S. 120.

23 Vgl. I. H. van Eeghen, a. a. O., 1956, S. 144–146.

24 Vgl. W. R. Valentiner, a. a. O., 1923, S. 277–282.

25 Vgl. W. Drost, a. a. O., 1957, S. 62, Abb. 74, 75; S. 171 ff.

26 Vgl. S. 51.

27 Wie Anm. 26.

28 Vgl. O. Benesch, a. a. O., 1963, unter Nr. 41.

29 Wie Anm. 26.

30 Vgl. Kat. Nr. 66 und die Hintergrundszene der Radierung H. 222 aus dem Jahr 1646.

31 Vgl. F. Saxl, a. a. O., 1908, S. 230.

32 Vgl. z. B. die Radierung H. 157 (L. Münz, a. a. O., 1952, Nr. 25, datiert um 1642–43) und die Gemälde Br. 34 (aus dem Jahr 1640), Br. 37 und Br. 38.

33 Vgl. z. B. Kat. Nr. 12, 13 und 48 und die Radierung H. 164.

34 Vgl. hierzu O. Benesch, Meisterzeichnungen der Albertina, Salzburg 1964, unter Nr. 173.

35 Vgl. hierzu H. Hell, a. a. O., 1930, S. 95 f.

36 Vgl. hierzu J. Rosenberg, Rembrandt the Draughtsman, in: Daedalus, 86, 1956, S. 127.

Die Numerierung der nachfolgenden Abbildungen entspricht der des Chronologischen Verzeichnisses der Kinderzeichnungen im Anhang.

1 Zwei Frauen und ein Kind, das laufen lernt, vor einem Hauseingang

Ausschnitt aus 2

2 Studienblatt

3 Studienblatt. Drei Frauen mit Kindern in verschiedenen Ansichten; darüber Kopf eines bärtigen Mannes

4 Ein Kind mit Kopftuch in Halbfigur

»Demnach bliebe er beständig bey seinem angenommenen Brauch, und scheuete sich nicht, wider unsere Kunst-Reglen, als die Anatomia und Maas der menschlichen Gliedmaszen, wider die Perspectiva und den Nutzen der antichen Statuen, wider Raphaels Zeichenkunst und vernünftige Ausbildungen auch wider die unserer Profession höchstnöthigen Academien zu streiten, und denenselben zu wiedersprechen, vorgebend, dasz man sich einig und allein an die Natur und keine andere Reglen binden solle . . .«

Joachim von Sandrart, Teutsche Academie der edlen Bau-, Bild- und Mahlerey-Künste, 2 Bde., Nürnberg 1675–79, Bd. 2, 3. Buch, Kap. XXII, S. 326. Zitiert nach: S. Slive, Rembrandt and his Critics 1630–1730, Den Haag 1953, S. 208

Joachim von Sandrart (1606–1688), Kupferstecher und Kunsthistoriograph, kannte Rembrandt wahrscheinlich nicht persönlich, obwohl er längere Zeit im Amsterdam lebte. Sein wichtigstes Werk »Teutsche Academie . . .«, eine Sammlung von Lebensbeschreibungen hervorragender Künstler von der Antike bis zu seiner Zeit, enthält auch eine Biographie Rembrandts, aus der obiges Zitat stammt.

5 Raub des Ganymed

»Als't kindje stout [ungezogen] is, moet het lijden
Dat hem zijn Ouderen kastijden.
Doch dat geschied hem niet uit haat;
Gelijk [ebenso] het oude kind moet draagen
Des Heeren hand van liefde slagen,
Op dat het niet verderft in't quaad.«

Jan Luyken (1649–1712)

Im Zusammenhang mit derselben Rembrandt-Zeichnung (Ben. 401) abgedruckt bei: Harriet Freezer, Spieghel der Jonckheydt, 31 tekeningen uit de 16de tot de 19de eeuw, Utrecht 1962, gegenüber von Abb. 6

6 Der ungezogene Junge

7 Der Prophet Elia und die Witwe von Zarphath; zu ihren Füßen ein kleiner Junge mit Suppenschüssel, der von einem Hund bedrängt wird

Ausschnitt aus 7

9 Die Pfannkuchenbäckerin

8 Die Pfannkuchenbäckerin ▷

10 Eine Frau mit fünf Kindern

14 Junge und Mädchen, das eine Gans jagt

11 Bettlerin mit drei Kindern

12 Der Trotzkopf

Ausschnitt aus 12

16 Sitzende Frau mit Kind auf dem Schoß

15 Junge mit Kind auf dem Schoß

17 Frau mit Säugling im Lehnstuhl

18 Maria mit dem Kind, am Fenster sitzend

19 Sitzende Frau, die ein Kind stillt

22 Frau mit Kind, an einer Hauswand sitzend

20 Frauengruppe mit Kind vor einem Hauseingang

»Si ses contours ne sont pas corrects, les traits de son Dessin sont pleins d'esprit...«

(Auch wenn seine [Rembrandts] Konturen nicht korrekt sind, so ist sein Strich doch voller Geist...)

Roger de Piles, Abregés de la Vie des Peintres, Avec des reflexions sur leurs Ouvrages, Paris 1699, S. 435. Zitiert nach: S. Slive, Rembrandt and his Critics 1630–1730, Den Haag 1953, S. 218

»Il disoit lui-même, que son but n'étoit que l'imitation de la Nature vivante ...«

(Er [Rembrandt] soll selbst gesagt haben, daß sein Ziel die Nachahmung der lebendigen Natur sei ...)

Roger de Piles, Abregé de la Vie des Peintres, Avec des reflexions sur leurs Ouvrages, Paris 1699, S. 433. Zitiert nach: S. Slive, Rembrandt and his Critics 1630–1730, Den Haag 1953, S. 216

23 Das furchtsame Kind

Ausschnitt aus 24 recto

24 recto Das furchtsame Kind

27 Frau mit gesenktem Kopf, ein Kind in den Armen haltend

◀ 26 Frau mit Kind in Rückenansicht

28 Studienblatt

29 Junge Frau mit Kind auf dem Arm

33 Vier Studien von einer Frau (Saskia?) mit einem Kind in den Armen

32 Porträt eines Kindes in Brusthöhe

34 Zwei Studien von einem trinkenden Säugling in der Wiege

35 Säuglingsstudien

36 Saskia mit einem Kind im Bett

37 Säuglingsstudien

39 Schlafender Junge

38 Junge Frau trägt einen Knaben die Treppe hinunter

42 Zwei Studien von einer Frau mit Kind

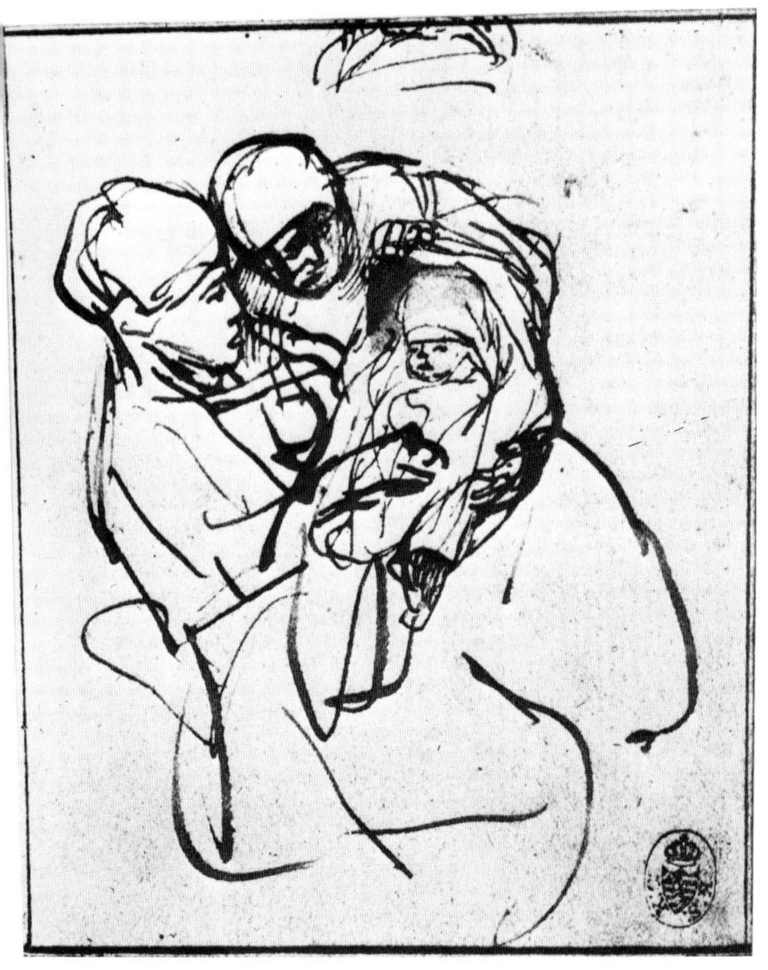

43 Zwei Frauen und ein Kind

45 Saskia mit einem Kind im Bett liegend ▷

»In seinen Werken liesze unser Künstler wenig Liecht sehen, auszer an dem fürnehmsten Ort seines Intents, um welches er Liecht und Schatten künstlich beysammen hielte, samt einer wohlgemeszenen reflexion, also dasz das Liecht in den Schatten mit groszem Urtheil wieche ...«

Joachim von Sandrart, Teutsche Academie der edlen Bau-, Bild- und Mahlerey-Künste, 2 Bde., Nürnberg 1675–79, Bd. 2, 3. Buch, Kap. XXII, S. 326. Zitiert nach: S. Slive, Rembrandt and his Critics 1630–1730, Den Haag 1953, S. 209 [vgl. auch das Zitat zu Abb. 5]

7 Porträtstudie eines kleinen Jungen in Brustformat

48 Zwei Studien einer Bettlerin mit zwei Kindern

Ausschnitt aus 48

49 Auf dem Boden sitzende Frau mit zwei Kindern

51 Studienblatt

50 Studienblatt

Ausschnitt aus 50

52 Vater und Kind mit einem Spielzeug auf Rädern

56 Alter Mann, von einem Knaben geführt

54 Hockende Frau mit Kind

55 Zwei Frauen und ein Kind, das laufen lernt

57 und 58 Arme Frau mit Kind

58

59 Frau bringt Kind zum Stehen

61 Frau mit Kind vor einer Kommode

60 Mann und Frau mit Kind am Laufriemen

Ausschnitt aus 60

62 Kind im Kinderstühlchen und Wärterin

Ausschnitt aus 62

63 Die ersten freien Schritte

64 Zwei Frauen im Gespräch mit einem Kind

68 Sitzende Frau mit Kind auf dem Schoß

65 Junge Frau mit Kind auf dem Arm ▷

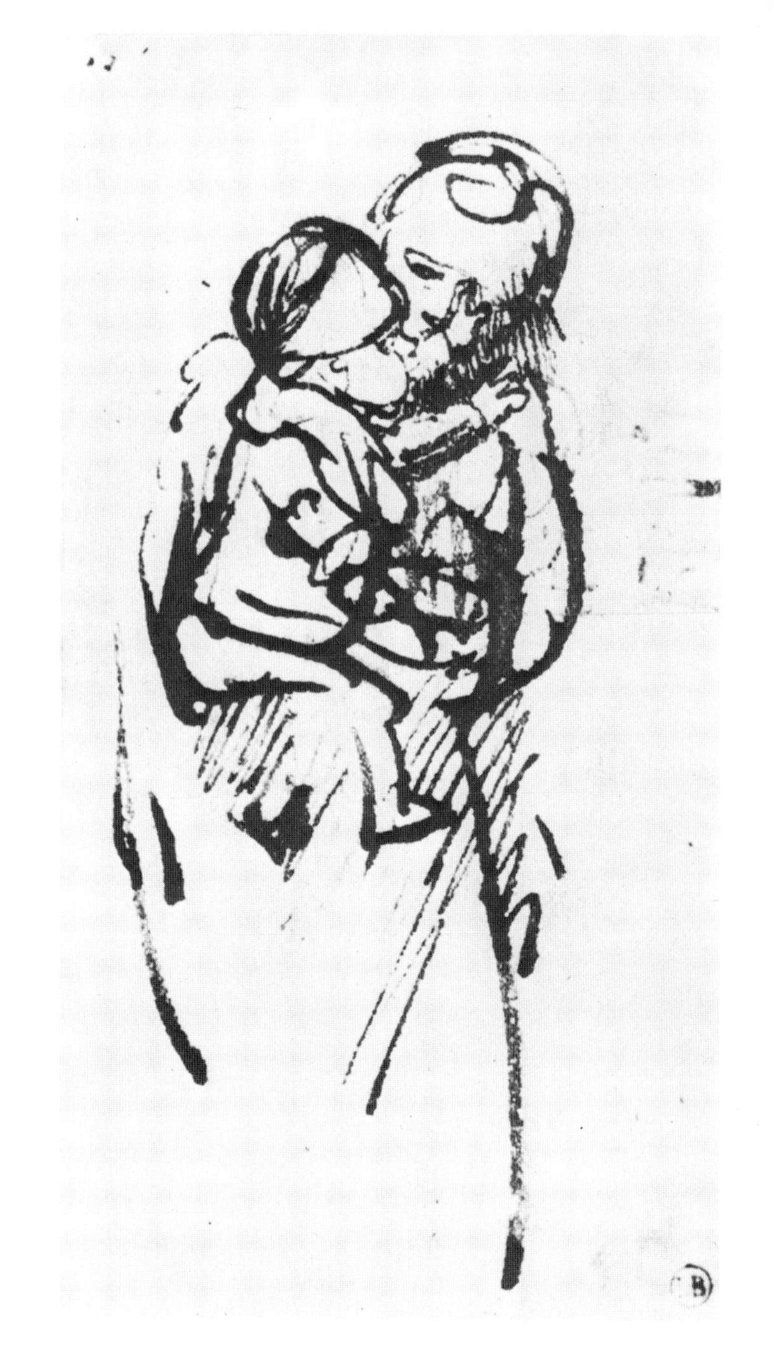

66 Kind zieht altem Mann die Mütze vom Kopf

Ausschnitt aus 66

69 recto Auf dem Boden sitzende Frau, die ein Kind stillt

69 verso Frau mit Kind auf dem Arm; darüber Kopf eines Orientalen, dieser von einer fremden Hand gezeichnet

70 Studienblatt

Ausschnitt aus 70

71 Am Gängelband

Ausschnitt aus 71 ▷

72 Der Stern der Könige

»'k Heb zoo lang met de foekepot geloopen,
Nog geen geld om brod te koopen,
Haringpakkerij, haringpakkerij!
Geef me een oortje, dan ga ik voorbij!«

Zitiert nach: G. D. J. Schotel, Net oud-hollandsch huisgezin der zeventiende eeuw, 2. Aufl. Arnhem 1903, S. 366

Lieder wie dieses sangen die holländischen Kinder im 17. Jahrhundert zu der Begleitung des Rommelpots am Fastnachtsdienstag.

74 und 75   Musizierende Straßenkinder vor einer Haustür

76 Bettlerfamilie

77 Sitzende Frau mit einem Kind auf dem Schoß, zu dem sich eine andere Frau herabbeugt

81 Schwierigkeiten beim Füttern (der sogenannte »Witwer«)

78 Zwei Bruststudien eines Kindes mit Fallhut

82 Kind in der Wiege

80 Küchenszene

Ausschnitt aus 84

84 Straßenmusikant vor einem Hauseingang

85 Stehende Menschengruppe, darunter eine Frau mit Kind

86 Bettlerfamilie

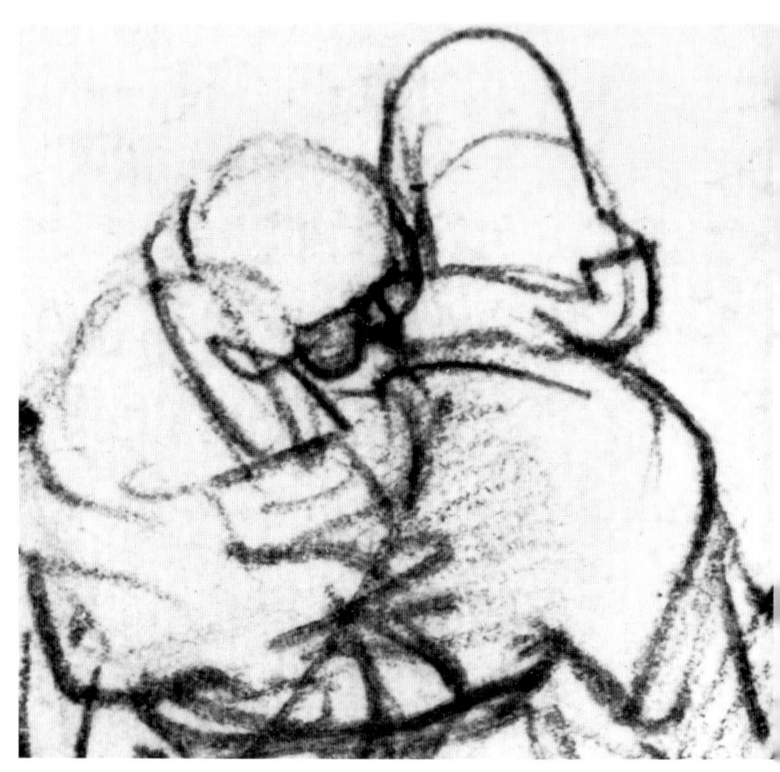

Ausschnitt aus 87

87 Bettlerfamilie

89 Kinderfrau mit Kind auf dem Arm

90 Eine Pfannkuchenbäckerin

91 Sitzende Frau, die ein Kind stillt

92 Frau, die ihr Kind stillt

93 Frau mit einem Kind in den Armen

94 Junge Frau, die ein Kind stillt

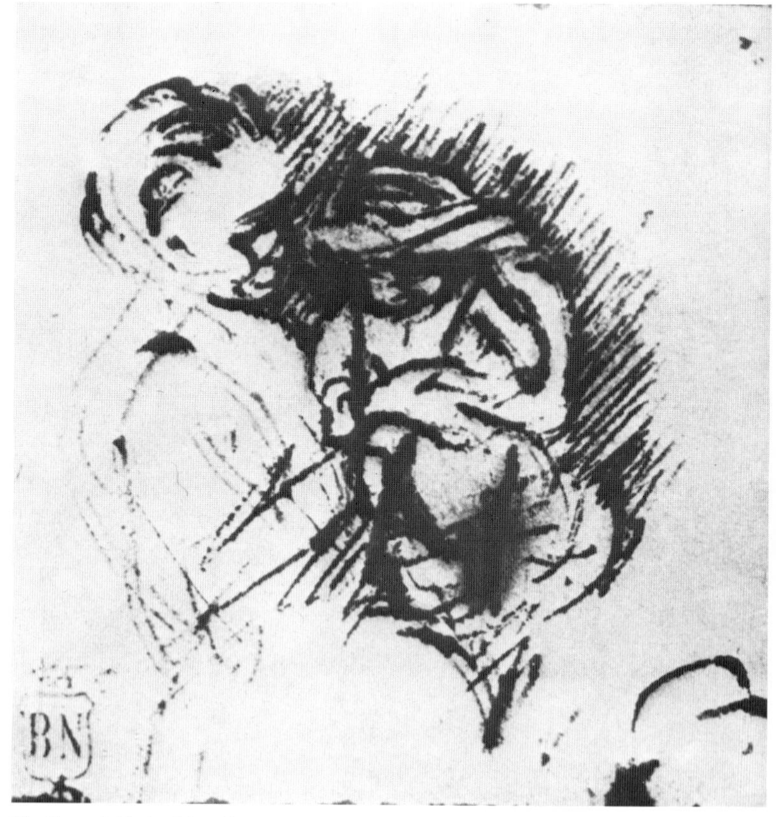

95 Frau mit Kind auf dem Arm

96 Studie von Kopf und Armen eines Kindes

97 und 98 Mutter und Kind, das ein Geschäftchen macht

99 Unterricht im Laufen

Chronologisches Verzeichnis der Kinderzeichnungen

Die Nummern dieses Verzeichnisses entsprechen dem Katalog, den die Verfasserin im Rahmen ihrer Dissertation (D. Vogel-Köhn, Rembrandts Kinderzeichnungen, Phil. Diss. Würzburg 1974) vorgelegt hat. Auf diese Arbeit wird verwiesen, soweit es um ausführliche Literaturangaben, die Abhandlung stilkritischer Detailfragen und um eine Gruppe zweifelhafter Blätter geht, die in die vorliegende Publikation nicht übernommen wurde. Auch der dem Bildteil vorangehende Text geht in seinen wesentlichen Teilen auf die Dissertation zurück.

Die Angaben über Technik, Maße etc. wurden weitgehend Beneschs Katalog entnommen, soweit Beneschs Kenntnis nicht durch neuere Forschung überholt worden ist.

Für einige Hinweise und Literaturangaben hat die Verfasserin Herrn Professor Dr. W. Sumowski, Stuttgart, zu danken. Ihr besonderer Dank gilt Herrn Prof. Dr. H. Roosen-Runge, Würzburg, der die Bearbeitung des Themas anregte und sie mit größtem Engagement verfolgte.

1 Zwei Frauen und ein Kind, das laufen lernt, vor einem Hauseingang (Abb.).
Rückseite: Zwei kleine männliche Köpfe.
Feder in Gallapfeltinte, laviert, mit Weiß gehöht. 160 × 144 mm. – Ben. 391 und Ben. Corrections, Bd. VI, S. 431 ff.
Paris, Institut Néerlandais, Sammlung F. Lugt.
Die dynamische, in dunklen Flekken auslaufende Zeichentechnik, deren kontrastreiche Hell-Dunkel-Wirkung durch ausgiebige Lavierungen unterstrichen wird, ist der um 1635 entstandenen »Judenbraut« (Ben. 292) eng verwandt. Vgl. auch Kat. Nr. 10, 17.
Datierung: um 1634/35

2 Studienblatt (Abb.)
Rückseite: Kopf einer schlafenden Frau und Profilstudie eines Mannes.
Feder in Bister. Auf der Rückseite von einer späteren Hand beschriftet: Rembrand f.; außerdem verschiedene Zahlen. 209 × 137 mm. – HdG 1022; Ben. 194 recto und Ben. Corrections, Bd. VI, S. 431 ff.
Melbourne, National Gallery of Victoria.

Auf dem Studienblatt Kat. Nr. 24 ist eine vergleichbare Frauengestalt mit einem Kind zu sehen, das in einer ähnlich raschen, wirbelnden Zeichensprache ausgeführt ist. Vgl. auch Kat. Nr. 8, 20, 21.
Datierung: um 1634/35

3 Studienblatt. Drei Frauen mit Kindern in verschiedenen Ansichten; darüber Kopf eines bärtigen Mannes (Abb.).
Feder in Bister. 187 × 145 mm. – Ben. 226.
New York, Pierpont Morgan Library.
Enge Verwandtschaft mit den beiden Kreidestudien Kat. Nr. 24.
Datierung: um 1634–38

4 Ein Kind mit Kopftuch in Halbfigur (Abb.).
Feder in Bister, auf bräunlichem Papier. 68 × 57 mm. – Ben. 227.
Brüssel, Musée des Beaux-Arts, Sammlung de Grez.
Benesch hat das Blatt zu Recht aus dem Werk G. van den Eeckhouts ausgeschieden und Rembrandt zugeschrieben.

Die schwungvolle, temperamentvoll abkürzende Zeichenweise berührt sich mit den um 1635 gesicherten Zeichnungen Kat. Nr. 7 und Kat. Nr. 24. Die auf wenige rasche Angaben reduzierte Darstellung des Kindes erinnert außerdem an Kat. Nr. 3.
Datierung: um 1634–38

5 Raub des Ganymed (Abb.).
Feder in Bister, laviert, Reste von Deckweißkorrekturen; an den Rändern links, oben und unten beschnitten (so Scheidig 1962, Nr. 33). 183 × 160 mm. – HdG 241; Ben. 92.
Dresden, Staatliche Kunstsammlungen, Kupferstichkabinett.
Die Zeichnung kann als Studie für das Dresdener Gemälde »Raub des Ganymed« (Br. 471; Textabb. 8) aus dem Jahre 1635 angesprochen werden. Wahrscheinlich ist die Idee zum »Ganymed« von einem Alltagserlebnis beeinflußt worden, das Rembrandt in der Zeichnung »Der ungezogene Junge« (Kat. Nr. 6) festgehalten hat. Mit der ungewöhnlichen Umdeutung des schönen Götterknaben der antiken Mythologie in einen weinenden kleinen Jungen opponiert der Künstler bewußt in parodierender Weise gegen die Kunsttradition (vgl. hierzu Clark 1966, S. 17). Die beiden Figuren links unten werden allgemein als die Eltern des Ganymed gedeutet.

In dem ausgeführten Gemälde hat Rembrandt sie zugunsten einer kompositionellen Symmetrie fortgelassen, wodurch der diagonale Bewegungszug der Zeichnung verlorengegangen und ihre Dynamik abgeschwächt worden ist.
Datierung: um 1635

6 Der ungezogene Junge (Abb.).
Feder in Bister, laviert, Deckweiß, etwas schwarze Kreide an der Figur der Alten und am Fuß des Jungen. Von einer späteren Hand beschriftet: Rembrant. 206 × 143 mm. – HdG 140; Ben. 401.
Berlin (West), Staatliche Museen Preußischer Kulturbesitz, Kupferstichkabinett.
Eine Kopie befindet sich im Museum zu Budapest (HdG 1386). Eine weitere Kopie aus der Sammlung

Ploos van Amstel ist in der Hamburger Kunsthalle (Inv. Nr. 22085).

Wie Hofstede sicher richtig vermutet, scheint diese Szene aus dem Alltagsleben Rembrandt zu seiner Umgestaltung der Ganymed-Figur in einen brüllenden kleinen Jungen angeregt zu haben (vgl. Kat. Nr. 5). Offensichtlich hat für den Ganymed-Knaben derselbe Junge als Modell gedient. Beide Zeichnungen lassen sich daher im Anschluß an das datierte Gemälde (Br. 471; Textabb. 8) um 1635 ansetzen.
Datierung: um 1635

7 Der Prophet Elia und die Witwe von Zarphath; zu ihren Füßen ein kleiner Junge mit Suppenschüssel, der von einem Hund bedrängt wird (Abb.).
Feder in Bister; rechts oben die Nummer des Albums Bonnat: 16. 117 × 159 mm. – HdG 732; Ben 112.
Paris, Louvre, Stiftung L. Bonnat.
Die Kinderszene im Vordergrund ist von Rembrandt für die Radierung »Die Pfannkuchenbäckerin« (H. 141; Textabb. 9) aus dem Jahre 1635 benutzt worden.

Seit Lugt (1933, Nr. 1119) wird die Szene als Darstellung der alttestamentlichen Erzählung von Elia und der Witwe von Zarphath (1. Könige 17, 10–15) interpretiert. Benesch, der einen Riß in der Gesamtkomposition des Blattes beobachtet hat, denkt an eine stufenweise Entstehung. Die Szene mit dem kleinen Jungen und dem anspringenden Hund hält er für eine Studie zu der Radierung H. 141. Man kann dem wohl insoweit zustimmen, als die leicht auseinanderklaffende Komposition der Zeichnung eine unabhängige Entstehung der kleinen Genreszene wahrscheinlich macht. Letztere geht ganz gewiß auf einen Natureindruck zurück, den Rembrandt wohl erst nach seiner Skizzierung in einen religiösen Sinnzusammenhang gestellt hat. Der Gedanke, diese Szene in die Radierung der »Pfannkuchenbäckerin« aufzunehmen, dürfte Rembrandt jedoch erst nachträglich gekommen sein. Während der Junge auf der Zeichnung noch einen Suppennapf in der Hand hält, hat der Künstler ihm in der Radierung, dem Thema entsprechend, einen Pfannkuchen in die Hand gegeben. Außerdem nimmt Rembrandt in der Radierung mehr Rücksicht auf ihre bildmäßige Wirkung, indem er den angstvollen Blick des Jungen dem Betrachter und nicht dem bedrohenden Hund zuwendet. Die heftige, spontan fortstrebende Bewegung des Kindes verliert dadurch an Unmittelbarkeit. Insgesamt gesehen ist das Motiv jedoch so ähnlich behandelt (Bein- und Armhaltung), daß das Datum der Radierung auch für die Zeichnung als verbindlich gelten darf.

Die temperamentvolle Darstellung des im Affekt bewegten Kinderkörpers erinnert an die Zeichnungen Kat. Nr. 5 und 6, die auch in der dynamischen Strichführung und der kräftigen Hell-Dunkel-Wirkung Verwandtschaft zeigen.
Datierung: um 1635

8 Die Pfannkuchenbäckerin (Abb.).
Feder in Bister. 107 × 142 mm. – HdG 1198; Ben. 409.
Amsterdam, Rijksprentenkabinet.

Die Zeichnung wird allgemein mit der Radierung H. 141 aus dem Jahre 1635, die dasselbe Thema behandelt, in Verbindung gebracht und entsprechend datiert. Wahrscheinlich haben wir eine vorbereitende Studie zu dem Thema der Radierung vor uns.

Die Eigenhändigkeit der Zeichnung ist von Sumowski (1956/57, S. 262) zu Unrecht in Frage gestellt worden. Gegen seine Zweifel spricht die außerordentliche Sicherheit, mit welcher beispielsweise die Figur der Alten in wenigen treffenden Federzügen erfaßt worden ist. Am deutlichsten äußert sich die Qualität des Blattes in dem großartigen Ausdruck des Jungen, der mit leicht angehobenem Bein angestrengt in den Tiefen seiner Tasche nach dem fehlenden Geldstück sucht. Auch die beiden flüchtig gezeichneten Hintergrundfiguren, an denen Sumowski Anstoß nimmt, tragen in ihrer dynamischen Bewegung durchaus zu der Lebendigkeit des Blattes bei. Derartige, nur unscharf umrissene Nebenfiguren finden sich auch in anderen Zeichnungen Rembrandts, beispielsweise im »Raub des Ganymed« (Kat. Nr. 5).
Datierung: um 1635

9 Die Pfannkuchenbäckerin (Abb.).
Feder in Bister, laviert. 150 × 170 mm. – HdG 643.
Paris, Louvre.
Das Blatt ist von Hofstede de Groot und Benesch zu Unrecht aus Rembrandts Werk ausgeschlossen worden. Der genial reduzierte Zeichenstil und die ausdrucksvolle Charakterisierung der verschiedenen Personen dürften kaum einem Rembrandt-Schüler zuzutrauen sein. Der kleine Junge beispielsweise, der mit angespannter Miene in seiner Tasche nach dem nötigen Geldstück sucht, hält durchaus einem Vergleich mit der im Motiv ganz ähnlichen Figur auf der Amsterdamer »Pfannkuchenbäckerin« (Kat. Nr. 8) stand. Auch die Skizze der besorgten Mutter, die mit verständnisvollem Lächeln das ungeduldige Vorwärtsdrängen ihres Kindes mäßigt, steht den anderen Rembrandtschen Variationen zum Thema »Kind, das laufen lernt« (vgl. Kat. Nr. 51, 60, 71) an Unmittelbarkeit und Lebendigkeit nicht nach.

Die Zeichnung kann im Zusammenhang mit der thematisch verwandten Radierung »Die Pfannkuchenbäckerin« (H. 141; Textabb. 9) aus dem Jahre 1635 und der zugehörigen Zeichnung Kat. Nr. 8 datiert werden. Der suggestive Zeichenstil, der Körper und Gegenstände weniger von ihrem Umriß, als vielmehr von ihrer Erscheinung her erfaßt, ist charakteristisch für den Stil um 1635, wie ihn beispielsweise auch Kat. Nr. 5 vertritt.
Datierung: um 1635

10 Eine Frau mit fünf Kindern (Abb.).
Feder in Bister; die beiden Kinder links an einigen Stellen von fremder Hand mit schwarzer Feder übergangen (so von Alten 1947, Abb. 19). Beschriftung in einer Handschrift des 18. Jahrhunderts: Remb. 152 × 197 mm. – Ben. 402.
Ehemals Bremen, Kunsthalle; im Zweiten Weltkrieg durch Auslagerung verlorengegangen.

Benesch setzt das Blatt mit Recht in Beziehung zu den um 1635 entstandenen Zeichnungen Kat. Nr. 6 und 24. Der auf dem Boden liegende Junge könnte sogar mit dem »Ungezogenen Jungen« identisch sein. Das Bewegungsmotiv des kleinen Jungen ganz links erinnert auffallend an das Kind im Vordergrund der »Witwe von Zarphath« (Kat. Nr. 7).
Datierung: um 1635

11 Bettlerin mit drei Kindern (Abb.).
Feder in Bister. 138 × 127 mm. – HdG 313; Ben. 280.
Dresden, Sammlung Friedrich August II.
Sumowski (1961, S. 5, und in: Oud Holland, 1962, S. 11 ff.) schreibt das Blatt im Anschluß an die signierte Zeichnung »Das Gideonsopfer« (Braunschweig, Herzog Anton Ulrich-Museum; Abb. 1 bei Sumowski) dem Rembrandt-Schüler G. v. d. Eeckhout zu. Seine Gegenüberstellung der Frauenköpfe spricht jedoch eher gegen diese These, wenn man die vergleichsweise ausdruckslosen Köpfe Eeckhouts betrachtet. Auch stilistisch fügt sich das Blatt nicht besonders überzeugend in die Reihe der von Sumowski zitierten Eeckhout-Zeichnungen ein.

Beneschs Hinweis auf das Studienblatt Kat. Nr. 10 ist ein vorzügliches Argument für die Echtheit der Zeichnung. Der mit wenigen raschen Zügen entworfene Frauenkopf, dessen innige Hinwendung zu dem Kind meisterhaft getroffen ist, kann mit dem entsprechenden Kopf der Studie Kat. Nr. 10 durchaus konkurrieren. Ferner fällt die Ähnlichkeit des Betteljungen mit dem pausbackigen, bäuchlings am Boden liegenden Lockenkopf auf.
Datierung: um 1635

12 Der Trotzkopf (Abb.).
Feder in Bister, laviert; an dem Kopf rechts oben etwas Deckweiß. 218 × 186 mm. – HdG 157; Ben 218.
Berlin (West), Staatliche Museen Preußischer Kulturbesitz, Kupferstichkabinett.
Stilistische Nähe zu den gesicherten Kinderzeichnungen aus dem Jahre 1635. Vgl. Kat. Nr. 6, 8 und die Radierung H. 141.
Datierung: um 1635

13 Blinde Alte und zwei Betteljungen. Rückseite: Bärtiger alter Mann mit Pelzkappe.
Feder in Bister, teilweise mit Weiß gedeckt. 185 × 170 mm. – HdG 141; Ben. 223 recto.
Berlin (West), Staatliche Museen Preußischer Kulturbesitz, Kupferstichkabinett.
Die Zeichnung muß gleichzeitig mit Kat. Nr. 12 entstanden sein, da auf diesem Blatt eine ganz ähnliche Bettlerin wiedergegeben ist. Man vergleiche auch die blinde Alte mit der »Pfannkuchenbäckerin« (Kat. Nr. 8) oder den Betteljungen mit dem Jungen im Vordergrund derselben Zeichnung.
Datierung: um 1635

14 Junge und Mädchen, das eine Gans jagt (Abb.).
Feder in Bister. Von einer späteren Hand bezeichnet: Rembrant vr. 132 × 103 mm. – HdG 150; Ben. 234.
Berlin (West), Staatliche Museen Preußischer Kulturbesitz, Kupferstichkabinett.

Die engen Beziehungen zu der Radierung H. 141 deuten auf eine Entstehung um die Mitte des Jahrzehnts hin; man vergleiche beispielsweise den Jungen mit Schlapphut und das kleine Mädchen mit den verschiedenen Kindertypen der Radierung. In dem Gesicht des Mädchens ist dasselbe Interesse an den Feinheiten und Besonderheiten der Physiognomie, die mit raschen Federschwüngen großartig abgekürzt wird, zu beobachten; man vergleiche hierzu auch den Kopf des »Ungezogenen Jungen« (Kat. Nr. 6).
Datierung: um 1635

15 Junge mit Kind auf dem Schoß (Abb.).
Feder in Bister, laviert. 100 × 82 mm. – Ben. 274.
Rotterdam, Museum Boymans-van Beuningen, Sammlung F. Koenigs.
Stilistisch gehört das Blatt mit seiner temperamentvollen Liniensprache und der lebhaften, durch kräftige Lavierungen unterstützten Hell-Dunkel-Wirkung in die Nähe des »Ungezogenen Jungen« (Kat. Nr. 6) und der sich um ihn gruppierenden Kinderzeichnungen. Vgl. auch Kat. Nr. 10, 24.
Datierung: um 1635

16 Sitzende Frau mit Kind auf dem Schoß (Abb.).
Schwarze Kreide. 165 × 130 mm. HdG 1455; Ben. 276.
Wien, Albertina.
Benesch macht darauf aufmerksam, daß der Strahlenkranz hinter dem Kopf des Kindes – der in diesem Fall wahrscheinlich von einer verdeckten Kerze herrührt – unter Umständen eine religiöse Deutung (»Die Hl. Anna mit der kleinen Maria«) erlauben würde. Ein vergleichbares Strahlenbündel erscheint in der Kreidezeichnung »Christus mit seinen Jüngern« (Ben. 89) als Gloriole hinter dem Kopf Christi.

Die kontrastreiche, sehr dynamische Zeichenweise ist den Zeichnungen um die Mitte der 30er Jahre – etwa der »Judenbraut« (Ben. 292; Textabb. 11) oder Kat. Nr. 10, 22, 36 – verwandt.
Datierung: um 1635

17 Frau mit Säugling im Lehnstuhl (Abb.).
Feder in Bister, laviert. 116 × 127 mm. – Ben. 303.
Berlin (West), Staatliche Museen Preußischer Kulturbesitz, Kupferstichkabinett.
Van Gelder (1961, S. 150) weist darauf hin, daß hier das Alter des Säuglings eine Identifizierung mit Rembrandts ältestem Sohn (getauft am 15. 12. 1635, begraben am 15. 2. 1636 – vgl. I. H. van Eeghen 1956, S. 144–146) zulassen würde. In diesem Zusammenhang sei auch auf die Säuglingsstudie Kat. Nr. 35 aufmerksam gemacht. In der dynamisch-abkürzenden Strichführung, die sich mit den Lavierungen zu einer außerordentlich farbigen Erscheinung verbindet, berührt die Zeichnung sich mit den Blättern Kat. Nr. 1, 15 und Ben. 292.
Datierung: um 1635/36

18 Maria mit dem Kind, am Fenster sitzend (Abb.).
Rückseite: Skizze einer Wendeltreppe.
Feder in Bister, laviert. Links unten in einer Handschrift des 18. Jahr-

hunderts beschriftet: Remb. 155 × 137 mm. – HdG 877; Ben. 113 recto.
London, The British Museum.
Rijckevorsel (1932, S. 120, Abb. 137) weist darauf hin, daß das Sitzmotiv durch einen Stich »Madonna mit Kind« von Barthel Beham angeregt worden ist. Das Verhältnis von Mutter und Kind ist bei Rembrandt, der die Köpfe eng aneinanderschmiegt, jedoch sehr viel intimer gestaltet. Benesch hat sicher recht, wenn er annimmt, daß hier ein Natureindruck in die religiöse Vorstellung hineinspielt.

Stilistisch kann die Zeichnung den beiden gesicherten Blättern Kat. Nr. 6 und 33 aus der Zeit um 1635 bzw. um 1636 zugerechnet werden. Mit dem »Ungezogenen Jungen« verbindet sie die malerische, durch kontrastreich gesetzte Pinsellavierungen belebte Anlage und die temperamentvolle Strichtechnik. Die ruhige Silhouette der in eine klassische Dreiecksform hineinkomponierten Figurengruppe findet dagegen eher eine Parallele in der unteren Skizze des Studienblattes Kat. Nr. 33, auch in seiner lockeren, mit spitzer Feder ausgeführten Strichführung. Vgl. auch Kat. Nr. 10.
Datierung: um 1635/36

19 Sitzende Frau, die ein Kind stillt (Abb.).
Feder und Pinsel, rote Kreide. Von einer fremden Hand beschriftet: Rembrandt ft. 149 × 112 mm. – HdG 813; Ben. 359 und Ben. Corrections Bd. VI, S. 431 ff.
Paris, Erben von Henri Pereire.
J. Q. van Regteren Altena (Maandblad voor beeldende Kunsten, I, Nr. 12, 1925, S. 371, Abb. 366) und Benesch haben unabhängig voneinander bemerkt, daß die Zeichnung in dem signierten Gemälde »Ruhe auf der Flucht nach Ägypten« von F. Bol (San Diego, Fine Arts Gallery) Verwendung gefunden hat. Benesch hält das Blatt für ein Original Rembrandts, das von seinem Schüler benutzt worden ist. Gegen die in der Forschung mehrfach vertretene Meinung, die Zeichnung sei eine eigenhändige Vorstudie von F. Bol spricht Beneschs Beobachtung, daß die Veränderungen im Gemälde – in welchem die Mutter das Kind nicht nährt, sondern es schlafend in den Armen hält – zu einer sinnlosen Pose der aus der Zeichnung direkt kopierten rechten Hand geführt haben. Während in der Zeichnung die mütterliche Hand dem Kind die Brust reicht, ruht sie im Gemälde in derselben Stellung funktionslos auf der bekleideten Brust. Zu diesem schwerwiegenden Argument gegen die Autorschaft des Rembrandt-Schülers kommt der Umstand hinzu, daß dem Gemälde der intensive Gesichtsausdruck der Zeichnung mangelt. Das etwas süßliche Lächeln der Madonna von F. Bol ist nur eine matte Wiedergabe des innigen Mutterblicks der Skizze.

Benesch datiert die Zeichnung im Anschluß an das Studienblatt Kat. Nr. 33 um 1636/37. Mit der untersten Skizze, die Saskia mit einem ähnlich breiten Hut und einem Kind in den Armen zeigt, verbindet das Blatt die schwungvolle Strichführung und die dreiecksförmige, Geschlossenheit anstrebende Komposition. Vgl. auch Ben. 320, 325.
Datierung: um 1635–38

20 Frauengruppe mit Kind vor einem Hauseingang (Abb.).
Feder in Bister. 232 × 178 mm. – HdG 1194; Ben. 407.
Amsterdam, Rijksprentenkabinet.
Henkels (1949, Nr. 17) Stilvergleich mit Kat. Nr. 8 überzeugt besonders hinsichtlich der beiden Sitzfiguren mit ihren klaren, geschlossenen Silhouetten.

Der lebhafte Wechsel im Strich, der zu kräftigen Akzenten neigt, verweist das Blatt in die Periode 1635–1638. Ähnliche Gruppen von Frauen und Kindern am Eingang eines Hauses zeigen die Blätter Kat. Nr. 1 und Ben. 406.
Datierung: um 1635–38

21 Zwei Frauen mit einem Kind.
Feder in Bister, laviert; an der linken Seite beschnitten. 135 × 115 mm. – Ben. 415.
New York, Sammlung Schaeffer.
Im New Yorker Ausstellungskatalog von 1960 (Rembrandt Drawings from American Collections, Nr. 22) wird darauf aufmerksam gemacht, daß links eine Figur abgeschnitten worden ist, der der Blick des Kindes gegolten hatte.

Beneschs Vergleich mit Kat. Nr. 28 und 29 überzeugt insbesondere hinsichtlich der summarischen Behandlung der Kinder, die in temperamentvollen, die Konturen mehrfach umreißenden Federzügen gegeben sind. Vgl. ferner Kat. Nr. 6, 10 und Ben. 169.
Datierung: um 1635–38

22 Frau mit Kind, an einer Hauswand sitzend (Abb.).
Feder; rechts oben die Nummer des Albums Bonnat: 39. 159 × 134 mm. – HdG 738; Ben. 275.
Paris, Louvre, Stiftung L. Bonnat.
Die kontrastreiche, zu Detailschilderungen neigende Handschrift entspricht den Stilgewohnheiten der Periode 1635–1638 (vgl. Kat. Nr. 24).
Datierung: um 1635–38

23 Das furchtsame Kind (Abb.).
Feder in Bister. Von späterer Hand beschriftet: Rembrant. 184 × 146 mm. – HdG 1387; Ben. 411.
Budapest, Museum der Schönen Künste.
Die stilistische Zugehörigkeit zu den um 1635 gesicherten Blättern, z. B. Kat. Nr. 6 und 10, ist offensichtlich. Man vergleiche etwa die temperamentvolle Vielstricheligkeit, mit der insbesondere die Kinder gestaltet sind, oder die dynamischen Strichlagen in den Schattenzonen der Kinderkörper. Das dargestellte Motiv hat Rembrandt ein zweites Mal in der Zeichnung Kat. Nr. 24 behandelt.
Datierung: um 1635–38

24 Das furchtsame Kind (Abb.).
Rückseite: Zwei stehende Frauen, beide ein Kind in den Armen haltend; am oberen Rand und an der linken Seite beschnitten.
recto: Feder in Bister; verso: Graphitstift. 105 × 101 mm. – Ben. 403 recto und verso und Ben. Corrections, Bd. VI, S. 431 ff.
Paris, Institut Néerlandais, Sammlung F. Lugt.
Der Aktionsreichtum und die entsprechend bewegte Strichführung, die auch die beiden Skizzen der Rückseite auszeichnen, sind charakteristisch für den spannungsvollen Stil um die Mitte der 30er Jahre. Vgl. z. B. Kat. Nr. 6, 10, 23.
Datierung: um 1635–38

25 Frau mit Kind in Rückenansicht.
Rückseite: Zeichnung eines Schülers oder Nachahmers.
Schwarze Kreide; links oben »No. 8« in roter Kreide; die beiden Köpfe im oberen Teil abgeschnitten. 53 × 60 mm. – Rückseite von HdG 1578; Ben., Addenda 5.
Stockholm, Nationalmuseum.
Die Zeichnung ist von Sumowski (in: Oud Holland, 71, 1956, S. 233–234) auf der Rückseite eines Schulwerks in Stockholm entdeckt worden.

Der wirbelnde Linienrhythmus dieses Blattes entspricht den beiden Kreidestudien Kat. Nr. 24 verso, auf die Benesch mit Recht hinweist. Vgl. auch Kat. Nr. 3, 26.
Datierung: um 1635–38

26 Frau und Kind in Rückenansicht (Abb.).
Feder in Bister. 99 × 62 mm. – Ben. 228 und Ben. Corrections, Bd. VI, S. 431 ff.
Rotterdam, Museum Boymans-van Beuningen, Sammlung F. Koenigs.
Das Blatt kann ebenso wie die Stockholmer Zeichnung (Kat. Nr. 25) im Zusammenhang mit den Kreidestudien Kat. Nr. 24 verso datiert werden. Man vergleiche insbesondere die wirbelnde Linienführung und die kraftvolle Rücken- bzw. Seitenansicht der Frauenfiguren.
Datierung: um 1635–38

27 Frau mit gesenktem Kopf, ein Kind in den Armen haltend (Abb.).
Feder in Bister. 150 × 121 mm. – HdG 1460; Ben. 344.
Wien, Albertina.
Wie Hofstede de Groot bemerkt hat, ist der Kopf, der ursprünglich mit zarten Strichen in Seitenansicht gegeben war, von Rembrandt nachträglich mit summarischen, kräftig über die erste Zeichnung gesetzten Federzügen in die Frontalansicht gerückt und auf die Brust herabgesenkt worden.

Die kontrastreiche Strichführung läßt an den Stil der um 1635 entstandenen »Judenbraut« (Ben. 292; Textabb. 11) denken, während das rasch skizzierte Kind an den Jungen im Hintergrund der »Pfannkuchenbäckerin« (Kat. Nr. 8) erinnert. Vgl. auch Kat. Nr. 15, 17, 24 verso.
Datierung: um 1635–38

28 Studienblatt (Abb.).
Feder in Bister. Unleserliche Beschriftung in der linken unteren Ekke. 183 × 155 mm. – Ben. 343 und Ben. Corrections, Bd. VI, S. 431 ff.
Paris, Institut Néerlandais, Sammlung F. Lugt.
Die Zeichnung muß in engem Zusammenhang mit Kat. Nr. 29 entstanden sein, denn beide Blätter zeigen – wie Benesch sicher richtig vermutet – dieselben Modelle. Vgl. ferner Kat. Nr. 8, 10.
Datierung: um 1635–38

29 Junge Frau mit Kind auf dem Arm (Abb.).
Feder in Braun. 104 × 87 mm. – HdG 1020; Ben. 342.
Amsterdam, Rembrandt-Huis.
Dieselben Modelle sind auf Kat. Nr. 28 wiedergegeben.

Stilistisch kann das Blatt mit der um 1635 gesicherten »Pfannkuchenbäckerin« (Kat. Nr. 8) in Zusammenhang gebracht werden; man

vergleiche etwa das kräftig nachgezogene Frauenprofil mit dem Profil des Knaben auf der Amsterdamer Zeichnung oder den rasch skizzierten Kopf des Kindes mit dem des kleinen Jungen, der hinter der Bratpfanne kniet.
Datierung: um 1635–38

30 Ein Händler und eine Frau mit Kind.
Rückseite: Federskizze von Kopf und Schultern einer alten Frau.
Feder in Bister; Sepia-Lavierungen von späterer Hand. 129 × 125 mm. – Ben. 419 recto.
Chicago, Luis H. Silver (nach van Gelder 1961, S. 151, Anm. 24).
Nach Benesch sind das linke Bein des Händlers, das Rembrandt ursprünglich nur leicht skizziert hatte, und die Tischbeine von derselben Hand ergänzt worden, die die Sepia-Lavierungen hinzugefügt hat.

Die knappe, an- und abschwellende Linienführung, die die Figur des Mannes sehr kraftvoll umreißt, ist dem Stil der »Pfannkuchenbäckerin« (Kat. Nr. 8) verwandt. Vgl. auch Kat. Nr. 12, 40.
Datierung: um 1635–38

31 Eine Frau zeigt ihr Kind einem älteren Mann.
Feder in Bister. 149 × 127 mm. – Ben. 420.
Nachlaß W. R. Valentiner.
Die temperamentvolle, mit starken Kontrasten arbeitende Zeichnung gehört der Periode 1635–1638 an; man vergleiche beispielsweise das um 1636/37 entstandene Studienblatt Kat. Nr. 33 oder Kat. Nr. 10. Vgl. auch Kat. Nr. 40, 41.
Datierung: um 1635–38

32 Porträt eines Kindes in Brusthöhe (Abb.).
Rückseite: Schlafende Frau.
Feder in Bister. 91 × 71 mm. – Ben. 313a recto.
Amsterdam, Rembrandt-Huis.
Das Kind wird von Benesch irrtümlich mit Rumbartus, Rembrandts ältestem Sohn (getauft am 15. 12. 1635, begraben am 15. 2. 1636 – vgl. I. H. van Eeghen 1956, S. 144–146), identifiziert. Da der einzige überlebende Sohn, Titus, aus stilistischen Gründen mit diesem Porträt nicht in Verbindung gebracht werden kann, muß es offen bleiben, welches Kind hier dargestellt ist.

Der Stil der Zeichnung gehört der Periode 1635–1638 an; man vergleiche etwa die Kopfstudien von Saskia (Kat. Nr. 33) und die Radierung H. 145 aus dem Jahre 1636. Alle drei Studienblätter verbindet der für die 30er Jahre charakteristische Wechsel von lockerer, runder Federführung in den Umrißzonen und zarter Feinstricheligkeit in den Gesichtspartien.
Datierung: um 1635–38

33 Vier Studien von einer Frau (Saskia ?) mit einem Kind in den Armen (Abb.).
Rückseite: Vier Reiterstudien.
Feder in Bister; rechts oben die Nummer des Albums Bonnat: 85. 200 × 150 mm. – HdG 710; Ben. 360 recto.
Rotterdam, Museum Boymans-van Beuningen, Sammlung F. Koenigs.
Das Blatt wird allgemein im Zusammenhang mit den radierten Kopfstudien von Saskia (H. 145, 152, 153) aus den Jahren 1636 und 1637 datiert. Die dritte Studie von oben

ist mit dem Kopf oben rechts auf der Radierung H. 145 besonders eng verwandt. Die Strichführung, die in diesem Falle trotz der unterschiedlichen Technik verglichen werden kann, zeigt dieselben Stilmerkmale. Locker und weich geführte Linienschwünge deuten die Umrisse von Körper und Gewand an; enge, fast etwas kantig über die Rundung der Formen hinweggehende Parallelschraffuren kennzeichnen die Schattenzonen und verdichten sich in der Gesichtspartie.

Wenn die Vermutung richtig ist, daß die dargestellte Frau Saskia wiedergibt – was angesichts der Ähnlichkeit der unteren Studie mit dem zweifelsfreien Porträt Ben. 427 wahrscheinlich ist –, dann hätten wir in dem Kinde Rumbartus vor uns (getauft am 15. 12. 1635, begraben am 15. 2. 1636 – vgl. I. H. van Eeghen 1956, S. 144–146).
Datierung: um 1636

34 Zwei Studien von einem trinkenden Säugling in der Wiege (Abb.).
Feder in Braun. 101 × 124 mm. – HdG 489; Ben. 259.
München, Staatliche Graphische Sammlung.
Das Kind zeigt große Ähnlichkeit mit demjenigen, das Saskia auf dem Studienblatt Kat. Nr. 33 in den Armen hält. Auch die knappe, zusammenfassende Zeichenweise entspricht Kat. Nr. 33. Die relativ gesicherte Datierung dieser Zeichnung dürfte folglich auch für die vorliegende sowie für die eng verwandte Säuglingsstudie Kat. Nr. 35 verbindlich sein. Das dargestellte Kind könnte demnach tatsächlich Rembrandts ältesten Sohn Rumbartus (getauft am 15. 12. 1635, begraben am 15. 2. 1636 – vgl. I. H. van Eeghen 1956, S. 144–146) wiedergeben.
Datierung: um 1636

35 Säuglingsstudien (Abb.).
Rückseite: Ein ländliches Paar beim Tanz, zweimal gezeichnet.
Feder in Bister; die Parallelschraffuren zwischen den Skizzen von einer fremden Hand. 151 × 142 mm. – HdG 490; Ben. 258 recto.
München, Staatliche Graphische Sammlung.
Saxls (1908, S. 534 f.) Meinung, daß das Blatt von einem Fälscher nach der Vorlage von Kat. Nr. 34 gemacht worden sei, hat in der Literatur keine Zustimmung gefunden. Die Qualität der Kinderköpfe, insbesondere des letzten rechts unten, erhebt die Zeichnung über jeden Zweifel. Es handelt sich um selbständige Naturstudien, die offenbar dasselbe Kind wiedergeben. Benesch vermutet vielleicht zu Recht, daß wir es hier mit Rembrandts ältestem Sohn Rumbartus zu tun haben. Vgl. die Bemerkungen zu Kat. Nr. 34.
Datierung: um 1636

36 Saskia mit einem Kind im Bett (Abb.).
Rote Kreide. 140 × 105 mm. – Ben. 280a.
London, Count Antoine Seilern.
Stilistisch kann die Zeichnung mit den Studien von Saskia, Kat. Nr. 33 und Kat. Nr. 39 verso, in Verbindung gebracht werden. Letztere ist ähnlich zart und durchsichtig im Strich und läßt auch in der seitlich geneigten, wohl auf die geschwächte

Verfassung der Dargestellten anspielenden Kopfhaltung eine verwandte Auffassung erkennen. Demnach dürfte das Kind in Saskias Armen entweder Rumbartus (getauft am 15. 12. 1635, begraben am 15. 2. 1936) oder Cornelia I (getauft am 22. 7. 1638, begraben am 13. 8. 1638 – vgl. I. H. van Eeghen 1956, S. 144–146) sein. Vgl. die Bemerkungen zu Kat. Nr. 37.
Datierung: um 1636–38

37 Säuglingsstudien (Abb.).
Rückseite: Flüchtige Federskizze von verschiedenen Figuren.
Rote Kreide. 133 × 120 mm. – Ben. 280 b recto.
Basel, Privatsammlung.
Das Blatt kann im Anschluß an Kat. Nr. 36 datiert werden. Demnach wird man in dem Kind entweder Rembrandts ersten Sohn Rumbartus (getauft am 15. 12. 1635, begraben am 15. 2. 1636) oder seine Tochter Cornelia I (getauft am 22. 7. 1638, begraben am 12. 8. 1638 – vgl. I. H. van Eeghen 1956, S. 144–146) vermuten dürfen.
Datierung: um 1636–38

38 Junge Frau trägt einen Knaben die Treppe hinunter (Abb.).
Feder in Bister, laviert. 185 × 133 mm. – Ben. 313.
New York, Pierpont Morgan Library.
Das Blatt wurde in der Forschung bis I. H. van Eeghen (1956, S. 144–146) irrtümlich unter dem Titel »Saskia mit Rumbartus« geführt und dem geschätzten Alter des Rumbartus entsprechend datiert. Da außer Titus, der aus stilistischen Gründen als Modell für diese Zeichnung nicht in Frage kommt, keines der Rembrandtschen Kinder über die ersten Lebensmonate hinausgekommen ist, muß auf eine Identifizierung der beiden Figuren verzichtet werden.

Valentiner (1905, S. 29) vermutet, daß dasselbe Kind im »Ganymed« (Kat. Nr. 5), im »Ungezogenen Jungen« (Kat. Nr. 6) und in dem »Schlafenden Jungen« (Kat. Nr. 39) dargestellt sei. Mit Sicherheit läßt sich diese Frage nicht entscheiden, da das Kind in der vorliegenden und in der Amsterdamer Zeichnung etwas größer ist. Immerhin würde diese Tatsache mit dem etwas fortgeschritteneren Stil, der auf eine beruhigte, klassische Formgebung und einheitliche Lichtführung hinzielt (vgl. Ben. 168), übereinstimmen.
Datierung: um 1637/38

39 Schlafender Junge (Abb.).
Rückseite: Eine im Bett sitzende Frau. Rote Kreide.
Feder in Bister, laviert. 130 × 175 mm. – HdG 1190; Ben. 379 recto.
Amsterdam, Rijksprentenkabinet.
Das dargestellte Kind wurde in der Forschung allgemein als »schlafend« beschrieben, bis Benesch die Auffassung vertrat, daß wir es hier mit Rembrandts ältestem Sohn Rumbartus auf dem Sterbelager zu tun hätten. Die rückwärtige Skizze von der im Bett sitzenden Saskia glaubte Benesch aufgrund der leidvollen Miene der Dargestellten mit dem traurigen Familienereignis in Beziehung setzen zu können. Seit dem Bekanntwerden der Lebensdaten von Rembrandts Kindern (vgl. I. H. van Eeghen 1956, S. 144–146) wissen wir jedoch, daß keins der Rem-

brandtschen Kinder hier wiedergegeben sein kann. Titus, der als einziger über die ersten Lebensmonate hinausgekommen ist, kommt aus stilistischen Gründen als Modell nicht in Betracht. Demnach stellt sich die Frage, ob es sich wirklich um ein totes oder nur um ein schlafendes Kind handelt, von neuem. Beneschs Argumente vermögen nicht alle zu überzeugen. Daß das Kind in Tageskleidung aufgebahrt liege, kann der knappen Skizze wohl kaum entnommen werden. Auch das hoch aufgeschüttelte Kissen besagt wenig, da man im 17. Jahrhundert offenbar häufig mit hochliegendem Kopf schlief. Außerdem ist aus künstlerischer Sicht eine höhere Kopflage zwangsläufig, wenn man Verzerrungen vermeiden will. Beneschs Ansicht, daß die Züge des Kindes durch Leid und beginnenden Zerfall entstellt seien, kann die Verfasserin nicht teilen. Es sind eher die im tiefen Schlaf entspannten Züge eines derben kleinen Jungen. Der stark herabhängende Mund, der auch durch die leichte Neigung des Kopfes nach links nicht gänzlich motiviert wird, spricht allerdings für Beneschs These. Eine eindeutige Entscheidung ist daher in dieser Frage wahrscheinlich nicht möglich. Der unbefangene Betrachter wird jedoch geneigt sein, in dieser lebensvollen Skizze auch ein lebendiges Kind zu sehen.

Stilistisch kann die Zeichnung mit den verschiedenen Skizzen von schlafenden Frauen aus dem dritten Viertel der 30er Jahre in Zusammenhang gebracht werden. Eng verwandt ist die für die Radierung H. 160 aus dem Jahre 1638 verwendete »Saskia im Bett« (Ben. 169). Die Zeichnung ist ähnlich ausschnitthaft und sparsam in den Mitteln. Leichte Lavierungen und kräftige Dunkelheiten in den Schattenpartien zwischen Kopf und Kissen sorgen für kontrastreiche, lebendige Wirkung.
Datierung: um 1637/38

40 Studienblatt.
Feder in Bister. 178 × 146 mm. – HdG 533; Ben. 301.
Weimar, Goethe-Nationalmuseum.
Die Skizze der beiden Frauen mit dem Kind setzt Benesch treffend in Beziehung zu Kat. Nr. 41, 42 und 43. Auf diesen Blättern taucht jeweils ein ausdrucksvolles Frauenprofil auf, dessen Blick auf einem Kind ruht. In der schnellen Skizzierung der geschlossenen Armhaltung berühren diese Zeichnungen sich mit Kat. Nr. 33. Die Datierung dieser Gruppe sollte nicht zu eng gefaßt werden, da die reduzierte Strichführung und die abgerundete Gruppenkomposition den Bestrebungen um die Wende des Jahrzehnts sehr nahe kommen (vgl. Kat. Nr. 69 recto). In der detaillierten Behandlung des runzeligen Frauengesichts zeigt sich jedoch, daß die Stilgewohnheiten um die Mitte der 30er Jahre noch nicht vergessen sind (vgl. den Bettler mit Klapper auf dem Studienblatt Kat. Nr. 12).
Datierung: um 1635–40

41 Studienblatt.
Feder und Pinsel in Braun; rote Kreide. 220 × 233 mm. – HdG 1024; Ben. 340.
Birmingham, Barber Institute.
Man wird die Zeichnung in Verbindung mit den eng verwandten Mut-

ter-Kind-Studien Kat. Nr. 40, 42, und 43 in die Periode 1635–1640 datieren können. Die männliche Porträtstudie in der Mitte vergleiche man mit den Radierungen H. 150 und H. 170 aus den Jahren 1637 und 1640. Vgl. die Bemerkungen zu Kat. Nr. 40.
Datierung: um 1635–40

42 Zwei Studien von einer Frau mit Kind (Abb.).
Feder in Bister. 175 × 119 mm. – HdG 1298; Ben. 302.
Amsterdam, Rijksprentenkabinet, Stiftung C. Hofstede de Groot.
Stilistisch kann das Blatt mit den eng verwandten Studien Kat. Nr. 40, 41 und 43 der Periode 1635–1640 zugewiesen werden. Die temperamentvolle, summarische Zeichensprache verbindet den dramatischen Stil um die Mitte des Jahrzehnts mit den auf Klarheit und Vereinfachung zielenden Tendenzen der ausgehenden 30er Jahre. Vgl. die Bemerkungen zu Kat. Nr. 40.
Datierung: um 1635–40

43 Zwei Frauen und ein Kind (Abb.).
Feder in Bister; am oberen Rand, wo die Reste einer Skizze sichtbar werden, beschnitten, 130 × 110 mm. – HdG 264; Ben. 304.
Dresden, Staatliche Kunstsammlungen, Kupferstichkabinett.
Die Zeichnung zeigt stilistisch bereits deutliche Anklänge an den Stil um die Wende des Jahrzehnts; man vergleiche z. B. Kat. Nr. 68, 69 recto und verso. Die kraftvoll reduzierte Zeichensprache und die geschlossene Figurenkomposition hat die vorliegende Zeichnung mit diesen Blättern gemeinsam, obwohl die temperamentvolle Strichführung noch Elemente der 30er Jahre erkennen läßt. Vgl. die Bemerkungen zu Kat. Nr. 40.
Datierung: um 1635–40

44 Zwei Frauen und ein Kind auf der Straße.
Schwarze Kreide. 90 × 111 mm. – HdG 142; Ben. 358.
Berlin (West), Staatliche Museen Preußischer Kulturbesitz, Kupferstichkabinett.
Die gefestigte, in ihrer Plastizität betonte Körperdarstellung und der vereinfachte, umrißhafte Zeichenstil berühren sich mit dem Stil der Kreidezeichnungen um die Wende des Jahrzehnts, z. B. mit Kat. Nr. 55, 60 und 61.
Datierung: um 1637–40

45 Saskia mit einem Kind im Bett liegend (Abb.).
Feder in Bister; später hinzugefügte grün-graue Lavierungen, wahrscheinlich von einer Hand des 18. Jahrhunderts. Von späterer Hand beschriftet: Rembrandt. 185 × 236 mm. – Ben. 413.
Cambridge/Mass., Fogg Museum of Art, Sammlung Paul J. Sachs.
Benesch geht bei seiner Datierung um 1636 irrtümlich von der Annahme aus, daß wir in dem Kind Rumbartus, Rembrandts ältesten Sohn, vor uns hätten. Seit I. H. van Eeghen (1956, S. 144–146) wissen wir jedoch, daß weder Rumbartus noch Cornelia I ein krabbelfähiges Alter, das dem des dargestellten Kindes entsprechen würde, erreicht haben. Da nach Valentiners (1923, Tafel 113, Abb. 4) Beobachtung wahr-

scheinlich das Schlafzimmer in der Nieuwe Doelenstraat, auf keinen Fall jedoch das in der Breestraat, wiedergegeben ist, können auch die nach 1639 in der Breestraat geborenen Kinder hier nicht gemeint sein. Man wird also von einer genauen Identifizierung mit einem der Kinder Rembrandts absehen müssen. Dennoch hat Rembrandt hier sicher eine ihm nahestehende Szene aufgenommen. Möglicherweise hat er das Kind, das ohnehin nur sehr schematisch umrissen ist, frei hinzugefügt, in der Absicht, Saskias Krankenlager zu charakterisieren. Die Datierung des Blattes kann daher nur stilkritisch vorgenommen werden, wobei das Datum des Umzugs in die Breestraat, das Jahr 1639, als terminus ante gelten darf.

Stilistisch kann das Blatt in die Nähe der themenverwandten Zeichnungen Ben. 425 und 426 gerückt werden, obwohl diese aufgrund der dargestellten Örtlichkeit nach 1639 anzusetzen sind. Die Zeichnungen stimmen sowohl in der geklärten und betont gefestigten räumlichen Komposition als auch in der lebhaften atmosphärischen Behandlung überein. Sie spiegeln deutlich die Stiltendenzen der ausgehenden 30er Jahre.
Datierung: um 1638/39

46 Kopf und Schultern einer Frau mit einem Kind auf dem Rücken.
Feder in Bister. 62 × 80 mm. – HdG 562; Ben. 387.
Besançon, Musée Communal.
Der rasche, summarische Zeichenstil erinnert an Kat. Nr. 66. Ferner sei auf die Zuschauergruppe hinter der Haustür im »Stern der Könige« (Kat. Nr. 72) verwiesen, die mit ähnlich knappen, umrißgebundenen Federzügen skizziert ist.
Datierung: um 1638–40

47 Porträtstudie eines kleinen Jungen in Brustformat (Abb.).
Feder in Bister, laviert. Von fremder Hand beschriftet: Rimbrant. 122 × 104 mm. – HdG 1592; Ben. 440.
Stockholm, Nationalmuseum.
Valentiners (1905, S. 30) Identifizierung mit Rembrandts ältestem Sohn Rumbartus hat bis zu den Urkundenfunden I. H. van Eeghens (1956, S. 144–146), aus denen hervorgeht, daß abgesehen von Titus keines der Rembrandtschen Kinder über die ersten Lebensmonate hinausgekommen ist, die zeitliche Einordnung des Blattes allgemein bestimmt. Die Vorschläge zur Datierung schwankten zwischen 1637 und 1641, je nachdem welches Alter man dem dargestellten Kinde geben wollte.

Der Zeichenstil ist eng verwandt mit der datierten Bildnisstudie von Titia (Ben. 441; Textabb. 16) aus dem Jahre 1639. Beide Blätter zeigen einen lebendigen Wechsel im Strich zwischen zarter und kräftiger Federführung, verbunden mit ausgiebigen Lavierungen. Formal wird diese Neigung zu lebhaften Kontrasten in einer ruhigen, geschlossenen Dreieckskomposition gebändigt, der das Brustformat besonders entgegenkommt.

Man vergleiche hierzu auch die Zeichnung nach Raffaels »Baldassare Castiglione« (Ben. 451; Textabb. 13), ebenfalls aus dem Jahre 1639.
Datierung: um 1639/40

48 Zwei Studien einer Bettlerin mit zwei Kindern.
Feder in Gallapfeltinte. 175 × 140 mm. – HdG 647; Ben. 197.
Paris, Louvre.
Die Studie Kat. Nr. 49 gibt offensichtlich dieselben Modelle wieder.

Die kompositionelle Geschlossenheit des dreiecksförmigen Figurenaufbaus rückt die vorliegende Zeichnung in die Nähe der beiden nach 1639 entstandenen Blätter Ben. 425 und 426. Man vergleiche insbesondere die Gestalt der vor dem Bett sitzenden Wärterin auf Ben. 425.
Datierung: um 1639/40

49 Auf dem Boden sitzende Frau mit zwei Kindern (Abb.).
Feder in Bister, laviert; der Kontur am Rücken der Frau und die Linien am Boden links von einer fremden Hand verstärkt (so der Ausstellungskatalog Rembrandt Drawings from American Collections, The Pierpont Morgan, Library, New York 1960). 90 × 105 mm. – Ben. 198 und Ben. Corrections, Bd. VI, S. 431 ff.
Washington, D. C., National Gallery of Art.
Dieselbe Gruppe ist offenbar auf dem Blatt Kat. Nr. 48 dargestellt.

Hinsichtlich der Datierung vergleiche man die Bemerkungen zu Kat. Nr. 48. Vgl. ferner Ben. 516.
Datierung: um 1639/40

50 Studienblatt (Abb.).
Feder in Gallapfeltinte. 152 × 115 mm. – HdG 784; Ben. 199.
Paris, Louvre, Sammlung Walter Gay.
Das Blatt kann mit seiner gefestigten Figurendarstellung und der kraftvollen, zu tiefen Dunkelheiten sich verdickenden Strichtechnik dem »Stern der Könige« (Kat. Nr. 72) – man vergleiche insbesondere die beiden männlichen Figuren rechts im Hintergrund – oder den beiden Studien Kat. Nr. 48 und 49 angeschlossen werden. Die dreiecksförmige Komposition der männlichen Stizfigur mit schräggestelltem Hut erinnert an den 1639 datierten »Castiglione« (Ben. 451; Textabb. 13). Es sei außerdem auf die umstrittenen Blätter Kat. Nr. 52 und 53 hingewiesen, die dieselbe Stilrichtung vertreten.
Datierung: um 1639/40

51 Studienblatt (Abb.).
Feder in Bister; am linken und am oberen Rand beschnitten. Eigenhändig beschriftet: een kindeken met een oudt jack op sijn hoofdken. 134 × 128 mm. – Ben. 300.
London, Sammlung Victor Koch.
Die breite, gefestigte Strichführung entspricht den Stiltendenzen des ausgehenden Jahrzehnts. Man denke etwa an die nach 1639 entstandene Zeichnung Ben. 425 oder an Kat. Nr. 72. Vgl. auch Kat. Nr. 48–50, 53 und Ben. 516.
Datierung: um 1639/40

52 Vater und Kind mit einem Spielzeug auf Rädern (Abb.).
Feder in Bister. 146 × 100 mm. – Ben. 732a und Ben. Corrections, Bd. VI, S. 431 ff.
Amsterdam, Rijksprentenkabinet.
Haverkamp-Begemann (1961, S. 55) will das Blatt einem Nachfolger von Goudt oder Elsheimer zuschreiben. Sumowski (1961, S. 14) denkt an eine eventuelle Zuweisung an N.

Maes, während Benesch und van Regteren Altena (in: Bulletin van het Rijksmuseum, 9, 1961, S. 85, Nr. 35) sich wohl doch mit Recht für die Eigenhändigkeit aussprechen.

Benesch, der das Blatt um 1640/41 ansetzt, bildet es aus gutem Grunde auf der gegenüberliegenden Seite von Kat. Nr. 72, dem »Stern der Könige«, ab. Dort ist auf der rechten Seite eine ähnliche männliche Figur mit Hut und Umhang in knapper Silhouettenangabe zu sehen. Die energisch an- und abschwellende Strichführung, deren tiefe Dunkelheiten die Helligkeit des Papiers in seiner Kontrastwirkung steigern, haben die beiden Zeichnungen mit der 1640 datierten Ansicht der Kirche St. Alban (Ben. 785) gemeinsam. In der gefestigten, betont voluminösen Körperdarstellung der beiden Figuren klingt bereits der Stil der 1641 datierten Zeichnung Ben. 500a an. Vgl. auch Kat. Nr. 48, 50, 53.
Datierung: um 1639/40

53 Studienblatt.
Feder in Braun. 160 × 128 mm. – Ben. 200.
New York, The Metropolitan Museum of Art.
Der in der Forschung mehrfach unternommene Versuch, das Blatt dem Rembrandt-Schüler N. Maes zuzuschreiben, scheint angesichts der Qualität der Zeichnung nicht gerechtfertigt zu sein. Insbesondere die Frau, die mit angezogenen Armen das nach vorne strebende Kind am Gängelband festhält und sich mit leicht behindertem Schritt bemüht, seinen Gehversuchen zu folgen, ist in der Körperbewegung ausgezeichnet getroffen. Außerdem paßt das Blatt stilistisch zu einer Reihe von Federzeichnungen Rembrandts, die durch knappe, gefestigte Strichführung und eine lebhafte Hell-Dunkel-Wirkung gekennzeichnet sind. Zu dieser Gruppe, die den beruhigten Zeichenstil des ausgehenden Jahrzehnts vertritt, gehören u. a. die Studien Kat. Nr. 50, 51 und das ebenso umstrittene Blatt Kat. Nr. 52. Die breite Zeichenweise und die ruhige, geschlossene Formgebung künden den Stil der 1641 datierten Zeichnung Ben. 500a an. Ferner sei auf die Verwandtschaft mit dem »Stern der Könige« (Kat. Nr. 72) verwiesen.
Datierung: um 1639/40 (wenn echt)

54 Hockende Frau mit Kind (Abb.).
Rote Kreide auf rauhem gräulichem Papier. 78 × 75 mm. – HdG 1125; Ben. 422.
London, The British Museum.
Man vergleiche die stilistisch und thematisch eng verwandte Rötelzeichnung Kat. Nr. 55, die sich ebenfalls in London befindet und auf dasselbe gräuliche Papier gezeichnet ist. Der tektonische Figurenstil, die klassische geschlossene Formgebung und die äußerst reduzierte Strichführung dürften kaum vor 1639 anzusetzen sein. Vgl. Kat. Nr. 75.
Datierung: um 1639/40

55 Zwei Frauen und ein Kind, das laufen lernt (Abb.).
Rote Kreide auf rauhem gräulichem Papier. 103 × 128 mm. – HdG 1127; Ben. 421.
London, The British Museum.

Das Blatt steht in engem Zusammenhang mit der Londoner Rötelzeichnung Kat. Nr. 54, die auf dasselbe gräuliche Papier gezeichnet ist. Man vergleiche das ähnliche Motiv auf der Radierung H. 204. Vgl. die Bemerkungen zu Kat. Nr. 54.
Datierung: um 1639/40

56 Alter Mann, von einem Knaben geführt (Abb.).
Feder, laviert. Die ursprünglich hohe Kappe des Mannes ist von Rembrandt in einen breitrandigen Hut umgeändert worden. 130 × 84 mm. – HdG 1601; Ben. 189.
Stockholm, Nationalmuseum.
Dieselbe Figurengruppe kehrt in der Zeichnung Ben. 190 wieder. Tümpel (in: De Kroniek van het Rembrandthuis, 1972, S. 67–75) deutet vielleicht mit Recht das Thema als eine Darstellung Jakobs, der sich auf seinen Sohn Benjamin stützt.

Der breite, durch reiche Pinsellavierungen kräftig akzentuierte Zeichenstil hängt mit den gesicherten Blättern um die Wende des Jahrzehnts (z. B. Ben. 451, 500a) zusammen. Am deutlichsten wird die Nähe zu der Zeichnung Ben. 500a aus dem Jahre 1641. Die detaillierte Behandlung des bärtigen Kopfes im Kontrast zu der summarischen, breiten Anlage des Körpers sowie den gedrungenen Figurenstil haben die beiden Blätter gemeinsam.
Datierung: um 1640

57 Arme Frau mit Kind (Abb.).
Rückseite: Federstudien (nach Hoetink 1969, S. 25, Abb. 24).
Feder in Bister. 116 × 78 mm. – Ben. 186.
Rotterdam, Museum Boymans-van Beuningen, Sammlung F. Koenigs.
Benesch bringt das Blatt mit Recht in Verbindung mit der stilistisch eng verwandten Zeichnung Kat. Nr. 58, die wahrscheinlich dasselbe Modell wiedergibt und möglicherweise als Vorstudie für eine Figur des sogenannten »Hundert-Gulden-Blattes« (H. 236) angesprochen werden kann.

Das Blatt wird von Hoetink doch wohl zu Unrecht angezweifelt. Gegen seine Abschreibung spricht die außerordentliche künstlerische Kraft der Zeichnung, die sich insbesondere in dem ergreifenden Gesichtsausdruck der Mutter und in der kraftlosen, müden Art, wie sie das Kind in den Armen hält, offenbart.

Qualitätsmäßig steht es der Zeichnung in Cambridge (Kat. Nr. 58) nicht nach. Die dünne Strichführung mit spitzer Feder erinnert an die um 1640 gesicherte Studie Ben. 477 und an die 1644 datierte Zeichnung Ben. 556.
Datierung: um 1639–43

58 Arme Frau mit Kind (Abb.).
Feder in Bister. 121 × 74 mm. – Ben. 187.
Cambridge/Mass., Fogg Museum of Art, Sammlung Paul J. Sachs.
Stilistisch kann die Zeichnung der Vorstudie für das »Hundert-Gulden-Blatt« (Ben. 188) angeschlossen werden.

Beide Blätter kennzeichnet eine für die Wende des Jahrzehnts charakteristische Vorliebe für kräftige, gezielt verteilte Hell-Dunkel-Kontraste. Vgl. die Bemerkungen zu Kat. Nr. 57.
Datierung: um 1639–43

59 Frau bringt Kind zum Stehen (Abb.).
Schwarze Kreide. 86 × 76 mm. – Ben. 309.
Amsterdam, Stedelijk Museum, Sammlung Fodor.
Das Motiv zeigt ungeachtet der technischen Unterschiede Verwandtschaft mit einer Frauengestalt im »Stern der Könige« (Kat. Nr. 72). Es handelt sich um die ähnlich rasch skizzierte Frau im Hauseingang, die ein kleines Kind in die Höhe hebt. Vgl. Kat. Nr. 61, 62.
Datierung: um 1639–43

60 Mann und Frau mit Kind am Laufriemen (Abb.).
Rote Kreide. 164 × 152 mm. – HdG 1454; Ben. 308.
Wien, Albertina.
Die gefestigte Struktur der Zeichnung und die stark vereinfachte, auf klare Grundformen zurückgeführte Figurendarstellung lassen deutlich den Stilwillen um die Wende des Jahrzehnts erkennen. Vgl. z. B. Kat. Nr. 61, 62, 71.
Datierung: um 1639–43

61 Frau mit Kind vor einer Kommode (Abb.).
Rote Kreide. 178 × 128 mm. – Ben. 278 und Ben. Corrections. Bd. VI, S. 431 ff.
Breslau, Ossolineum.
Das Blatt dürfte mit seiner gefestigten, auf knappe Umrißangaben reduzierten Zeichensprache kaum vor 1639 entstanden sein. In ihm wird bereits der Stil der 40er Jahre wirksam, der in den Zeichnungen Kat. Nr. 78 und 82 voll ausgeprägt in Erscheinung tritt.
Datierung: um 1639–43

62 Kind im Kinderstühlchen und Wärterin (Abb.).
Schwarze Kreide. 155 × 103 mm. – HdG 1500; Ben. 277.
Wien, Albertina.
Beneschs Vermutung, daß hier möglicherweise Rembrandts ältester Sohn Rumbartus und seine Kinderfrau dargestellt seien, ist hinfällig geworden, seit man weiß, daß abgesehen von Titus keines der Rembrandtschen Kinder über die ersten Lebensmonate hinausgekommen ist (vgl. I. H. van Eeghen 1956, S. 144–146).

Die ruhige, auf kräftige und klare Akzente reduzierte Zeichensprache und die gefestigte Figurendarstellung entsprechen den künstlerischen Absichten um die Wende des Jahrzehnts. Man vergleiche beispielsweise die geschlossene Anlage der Sitzfiguren auf Ben. 425 und 426. Vgl. auch Kat. Nr. 59–61.
Datierung: um 1639–43

63 Die ersten freien Schritte (Abb.)
Feder in Bister; Lavierungen in grauer Sepia von späterer Hand. 168 × 127 mm. – HdG 1195; Ben. 412.
Amsterdam, Rijksprentenkabinet.
Die gefestigte und geklärte Figurendarstellung sowie die vereinfachte Strichführung entsprechen dem Stil um die Wende des Jahrzehnts. Man vergleiche z. B. die kraftvolle Liniensprache der Blätter Kat. Nr. 48 und 66. Der breite, weiche Schwung der Federzeichnung erinnert in seiner reizvollen malerischen Wirkung an die Porträtzeichnung von Titia (Ben. 441; vgl. Textabb. 16) von 1639. In der wenige Jahre später entstande-

nen Zeichnung »Tobias und Anna mit der Ziege« (Ben. 572) kommt der breite Federstil, der sich in dem vorliegenden Blatt erst vorbereitet, konsequent zur Darstellung.
Datierung: um 1639–43

64 Zwei Frauen im Gespräch mit einem Kind (Abb.).
Feder in Bister, laviert. 170 × 150 mm. – Ben. 732.
Den Haag, Bredius-Museum.
Die beruhigte, stark vereinfachte Zeichentechnik und die gefestigte Figurendarstellung erinnern an die 1641 datierte Studie Ben. 500a und an die Kinderzeichnung Kat. Nr. 63. Mit der nach 1639 entstandenen Zeichnung Ben. 425 verbindet das Blatt die einfache, klare Komposition, wobei die Figuren mit ihrer vertikalen Ausrichtung gegen einen ruhigen, rechteckig gegliederten Hintergrund abgesetzt werden.
Datierung: um 1639–43.

65 Junge Frau mit Kind auf dem Arm (Abb.)
Feder; links oben die Nummer des Albums Bonnat: 33. Auf der Rückseite des Kartons Beschriftung in Englisch: by Mr. T. T. S. 112 × 59 mm. – HdG 737; Ben. 670.
Paris, Louvre, Stiftung L. Bonnat.
Die reduzierte, umrißgebundene Zeichensprache mit ihrer lebhaft an- und abschwellenden Linienbildung verweist das Blatt stilistisch in die Periode von 1639–43. Man denke etwa an Ben. 425 oder an den »Stern der Könige« (Kat. Nr. 72), in dessen Zentrum sich eine ähnliche Frauenfigur mit Kind befindet. Vgl. auch Kat. Nr. 66, 69r, 77.
Datierung: um 1639–43

66 Kind zieht altem Mann die Mütze vom Kopf (Abb.)
Feder in Bister. 189 × 158 mm. – HdG 1126; Ben. 659.
London, The British Museum.
Datierung im Anschluß an den »Stern der Könige« (Kat. Nr. 72). Man vergleiche z. B. das kleine Kind mit demjenigen, das über die Halbtüre des Hauses hinweg das »Sternsingen« verfolgt.

Die nahezu abstrakt wirkenden balkenartigen Federzüge, die der Figurenkomposition Klarheit und Festigkeit geben, indem sie die wesentlichen Richtungslinien deutlich markieren, erinnern an Kat. Nr. 48 und 67.
Datierung: um 1639–43

67 Junge Frau und Kind, das mit einem Buch spielt.
Feder in Bister, auf gelblich getöntem Papier. 176 × 132 mm. – Ben. 658.
London, Sammlung Speelman.
Die Neigung zu wirkungsvollen Hell-Dunkel-Kontrasten hat das Blatt mit dem »Stern der Könige« (Kat. Nr. 72) gemeinsam. Ferner vergleiche man die nahezu abstrakte Bildung des Frauenkopfes der oberen Studie mit Kat. Nr. 69 verso. Vgl. auch Kat. Nr. 48, 66, 70.
Datierung: um 1639–43

68 Sitzende Frau mit Kind auf dem Schoß (Abb.)
Rückseite: Kompositionsskizze in schwarzer Kreide.
Feder in Bister. 168 × 133 mm. – Ben. 382 recto und Ben. Corrections, Bd. VI, S. 431 ff.
Paris, Institut Néerlandais, Sammlung F. Lugt.

Der summarische, die Figuren in ihren Umrißformen knapp zusammenfassende Zeichenstil und die gefestigte Formgebung sind eng verwandt mit der nach 1639 entstandenen Skizze Ben. 425. Vgl. auch Kat. Nr. 69, 70.
Datierung: um 1639–43

69 Auf dem Boden sitzende Frau, die ein Kind stillt (Abb.)
Rückseite: Frau mit Kind auf dem Arm; darüber Kopf eines Orientalen, dieser von einer fremden Hand gezeichnet (Abb.).
Feder in Bister, laviert. 175 × 153 mm. – HdG 1595; Ben. 707.
Stockholm, Nationalmuseum.
Das Blatt kann im Zusammenhang mit Kat. Nr. 68, 70 und 71 der Periode 1639–1643 zugeordnet werden. Stilistisch schließt sich diese Gruppe den nach 1639 entstandenen Zeichnungen Ben. 425 und 426 und dem »Stern der Könige« (Kat. Nr. 72) an. Man vergleiche insbesondere die Wärterin neben dem Bett der Saskia, deren Gestalt mit Hilfe der klassischen Dreieckskomposition zu einer ähnlich geschlossenen Wirkung gebracht wird.
Datierung: um 1639–43

70 Studienblatt (Abb.).
Die unvollendete Studie eines Turbans von einer fremden Hand.
Feder in Bister, laviert. 165 × 164 mm. – HdG 1596; Ben. 708.
Stockholm, Nationalmuseum.
Zusammen mit Kat. Nr. 67–69 und 71 kann das Blatt im Anschluß an Kat. Nr. 72 und an die beiden Zeichnungen Ben. 425 und 426 in die Periode 1639–1643 datiert werden. Man vergleiche z. B. das kleine Kind auf dem Arm der im Zentrum von Kat. Nr. 72 stehenden Frau. An dieses Blatt erinnern auch die dunklen Lavierungen und die Schraffuren im Hintergrund, gegen den die Figuren sich in scharfem Kontrast abheben. Vgl. die Bemerkungen zu Kat. Nr. 69 und 71.
Datierung: um 1639–43

71 Am Gängelband (Abb.).
Feder in Bister. 160 × 165 mm. – HdG 1597; Ben. 706.
Stockholm, Nationalmuseum.
Nach Benesch demselben Skizzenbuch zugehörig wie Kat. Nr. 69 und 70.

Im Nationalmuseum Stockholm war dazu zu erfahren, daß der Papiercharakter von Kat. Nr. 69 und 70 abweiche. Per Bjurström, dem die Verfasserin diese Mitteilung verdankt, hält es nicht für ausgeschlossen, daß dieser Eindruck durch zahlreiche geklebte Stellen im Papier hervorgerufen wird.

Die kontrastreiche, wechselvoll an- und abschwellende Strichführung der vorliegenden Zeichnung entspricht dem Stil der Periode 1639–1643. Man denke etwa an Kat. Nr. 72 oder an die 1641 datierte Zeichnung Ben. 500a. Außerdem sei auf das ähnliche Motiv im Hintergrund der Radierung »Das Schwein« (H. 204) aus dem Jahre 1643 hingewiesen. Die in Verbindung mit dieser Radierung stehenden Studien von Schweinen (Ben. 777–779; vgl. Textabb. 18) sind überdies in der kraftvoll akzentuierenden, lebhaft in Licht und Schatten modulierenden Zeichentechnik verwandt. Ob wir es hier mit einer Darstellung des kleinen Titus zu tun haben – woraus

sich eine engere Datierung um 1642/1643 ergeben würde – bleibe dahingestellt.
Datierung: um 1639–43

72 Der Stern der Könige (Abb.).
Feder in Bister, laviert; eine Figur rechts mittels Lavierung überdeckt. Signiert: Rembrandt f. 204 × 323 mm. – HdG 1129; Ben. 736.
London, The British Museum.
Der Dreikönigsabend, an dem ein leuchtender Stern von Kindern oder jungen Leuten singend durch die Straßen getragen wurde, ist von Rembrandt in einer späteren Radierung (H. 254) noch einmal behandelt worden.

In der rhythmisch gegliederten Figurenkomposition, der gezielten Lichtführung und der atmosphärischen Anlage werden charakteristische Stilelemente der frühen 40er Jahre greifbar. Man denke etwa an das um 1640/41 gesicherte Blatt Ben. 488.

Hinsichtlich der Strichführung vergleiche man die Studien Ben. 425 und Ben. 500a, letztere 1641 datiert. Vgl. auch Kat. Nr. 73–75.
Datierung: um 1640–43

73 Musizierende Straßenkinder vor einer Haustür.
Feder in Bister. 176 × 118 mm. – Ben. 735.
Früher Cambridge/Mass., Fogg Museum of Art, Sammlung Paul J. Sachs (nach Slive 1937 durch Diebstahl verlorengegangen – vgl. Slive 1965, Anm. zu Nr. 528).
Tanzende und zu der Begleitung eines Rommelpots singende Kinder zogen im Holland des 17. Jahrhunderts am Fastnachtsdienstag durch die Straßen. Dasselbe Thema hat Rembrandt auf Kat. Nr. 74 und 75 behandelt.

Die runde, relativ gleichmäßig dünne Strichführung, die locker den Konturen der Figuren folgt, ist charakteristisch für den Stil der frühen 40er Jahre. Man vergleiche etwa die 1643 datierte Zeichnung »Der Raucher« (Ben. 686) oder die Hintergrundszene der Radierung H. 204, ebenfalls aus dem Jahre 1643.
Datierung: um 1640–43

74 Musizierende Straßenkinder vor einer Haustür (Abb.).
Feder in Bister; mit dem Finger aufgelegte Schatten. 192 × 224 mm. – Ben. 733.
London, The British Museum.
Stilistisch kann das Blatt zusammen mit Kat. Nr. 72, 73 und 75 der 1643 datierten Zeichnung Ben. 686 angeschlossen werden. Vgl. die Bemerkungen zu Kat. Nr. 73.
Datierung: um 1640–43

75 Musizierende Straßenkinder vor einer Haustür (Abb.).
Feder in Bister, laviert; mit Deckweiß übergangen (laut Scheidig 1962, Nr. 40). Von einer späteren Hand beschriftet: Rembrandt. 212 × 275 mm. – HdG 534; Ben. 734.
Weimar, Goethe-Nationalmuseum.
Das Blatt wird von Hind (1915, Nr. 32) doch wohl zu Unrecht für eine Kopie von Kat. Nr. 74 gehalten. Es handelt sich offensichtlich um eine eigenständige Variation des Themas, die die unterschiedliche Anteilnahme der Zuhörerschaft ganz neu formuliert. Vgl. die Bemerkungen zu Kat. Nr. 73, 74.
Datierung: um 1640–43

76 Bettlerfamilie.
Feder in Bister; Papier an der rechten Seite beschädigt und wieder restauriert. 125 × 93 mm. – Ben. 739.
Warschau, Universitätsbibliothek, Sammlung Stanislaus Potocki.
Der sehr zarte, locker geführte Federstrich, der klar den Umrißlinien folgt, ist der signierten und 1643 datierten Zeichnung Ben. 686 auf das engste verwandt. Vgl. auch Kat. Nr. 73–75.
Datierung: um 1642/43

77 Sitzende Frau mit Kind auf dem Schoß, zu dem sich eine andere Frau herabbeugt (Abb.).
Feder in Bister. 85 × 80 mm. –Ben. 741.
Amsterdam, Stedelijk Museum, Sammlung Fodor.
Die zarte, locker dem Umriß folgende Linienführung ist mit dem Stil der 1643 datierten Zeichnung Ben. 686 eng verwandt. Man vergleiche ferner die Hintergrundszene der Radierung H. 204 von 1643.
Datierung: um 1642/43

78 Zwei Bruststudien eines Kindes mit Fallhut (Abb.).
Feder in Bister. 61 × 91 mm. – HdG 1197; Ben. 683.
Amsterdam, Rijksprentenkabinet.
Ob hier der kleine Titus dargestellt ist, wie Benesch vermutet, mag dahingestellt bleiben, auch wenn der Stil des Blattes, der deutlich in die erste Hälfte der 40er Jahre weist, eine Identifizierung mit dem 1643 geborenen Jungen zulassen würde.

In der ausgewogenen Strichtechnik korrespondiert das Blatt mit der Zeichnung Ben. 686 und der Radierung H. 204 aus dem Jahre 1645. Vgl. ferner Kat. Nr. 73, 74, 76, 77.
Datierung: um 1642/43

79 Sitzende alte Frau mit Kind.
Feder in Bister, laviert. 138 × 116 mm. – Ben. 742.
Chicago, Luis H. Silver (nach van Gelder 1961, S. 151, Anm. 24).
Die 1644 datierte Landschaftszeichnung Ben. 815 erzielt mit ihrer fleckenhaften Lichtgebung und der wirbelnden Strichführung eine ähnliche malerische Wirkung. Ferner sei auf die stilverwandten Kinderzeichnungen Kat. Nr. 75 und 80 hingewiesen. Vgl. auch Ben. 686.
Datierung: um 1642–44

80 Küchenszene (Abb.).
Rückseite: Entwurf für das Bukarester Schulbild »Hamann bittet Esther um Gnade« (Br. 522) – so Sumowski (1961, S. 14).
Feder in Bister; rote Kreide, laviert. 193 × 300 mm. – Ben. 747.
Moskau, Universitätsmuseum der Schönen Künste.
Die ruhige, durch reiche Lavierungen zu malerischer Geschlossenheit gebrachte Komposition sowie die subtile Behandlung atmosphärischer Erscheinungen verbindet das Blatt mit einigen charakteristischen Zeichnungen der 40er Jahre. Man vergleiche z. B. Ben. 516, 518a und 581. Außerdem sei auf die verwandten Kinderzeichnungen Kat. Nr. 75 und 79 hingewiesen.
Datierung: um 1642–46

81 Schwierigkeiten beim Füttern (der sogenannte »Witwer«) (Abb.).
Feder in Bister, laviert. 173 × 142 mm. – HdG 1013; Ben. 345.
Kopenhagen, Kobberstiksamling.

Hinds (Rembrandt, Norton Lectures, Cambridge/Mass. 1932, S. 32f.) Meinung, daß das Blatt dem Rembrandt-Schüler N. Maes zuzuschreiben sei, scheint der Verfasserin unbegründet zu sein, denn unter den Zeichnungen des N. Maes läßt sich nichts Vergleichbares finden. Es gibt zwar eine große Anzahl Kinderzeichnungen von Maes, an denen jedoch die Schwäche des Künstlers in der Charakteristik besonders deutlich wird. Dagegen offenbart sich die außerordentliche Qualität der vorliegenden Zeichnung gerade an den ganz knapp und sicher erfaßten Ausdrucksstudien des Kindes. Keiner der Künstler in Rembrandts Umgebung wäre in der Lage gewesen, den Ablauf seelischer Vorgänge im Kind psychologisch so treffend wiederzugeben.

Die kraftvolle Zeichnung des linken Beines sowie die Betonung des Organisch-Funktionalen an der rechten Hand dürften – entgegen Beneschs Annahme – weniger Merkmale der 30er Jahre als vielmehr der 40er Jahre sein. Man vergleiche etwa die um 1645 entstandene Zeichnung »Die Heilige Familie« (Ben. 569; Textabb. 22). Die Behandlung des liegenden Josefs ist mit der des sogenannten »Witwers« eng verwandt. Hier wie dort zeigt sich ein deutliches Interesse an der organischen Bewegung der Glieder, deren Beugung oder Streckung mit kräftigen Konturlinien klar herausgearbeitet ist. Auch die Wiedergabe des Kindes auf dem Schoß des Mannes erinnert stilistisch an die schlichte, umrißhafte Darstellung des Christkindes der »Heiligen Familie«. Hofstedes Vermutung, daß Rembrandt sich hier als Witwer dargestellt habe, ist äußerst hypothetisch und daher fragwürdig.
Datierung: um 1644/45

82 Kind in der Wiege (Abb.).
Schwarze Kreide. 75 × 113 mm. – HdG 1012; Ben. 570.
London, Erben Henry Oppenheimer.
Naturstudie, die im Zusammenhang mit dem Gemälde »Die Heilige Familie« (Br. 570; Textabb. 26) aus dem Jahre 1645 entstanden ist. Das Motiv erscheint im Gemälde in umgekehrter Richtung.
Datierung: um 1645

83 Studienblatt.
Schwarze Kreide; die obere rechte Ecke beschnitten. Von einer späteren Hand beschriftet: Rembrandt; 103 × 153 mm. – HdG 1227; Ben. 705.
Amsterdam, Stedelijk Museum, Sammlung Fodor.
Die betont kraftvoll gestalteten Männerfiguren erinnern an den liegenden Josef der um 1645 entstandenen »Heiligen Familie« (Ben. 569; Textabb. 22). Ferner sei auf die thematisch und stilistisch eng verwandte Bettlerzeichnung Kat. Nr. 86 hingewiesen, die im Zusammenhang mit der umseitigen Studie von J. Six um 1647 datiert werden kann.
Datierung: um 1644–50

84 Straßenmusikant vor einem Hauseingang (Abb.).
Schwarze Kreide; Lavierungen in Tusche von späterer Hand. 144 × 110 mm. – HdG 1095A; Ben. 745.
Amsterdam, Sammlung C.P. van Eeghen.

Benesch vergleicht das Blatt überzeugend mit Ben. 716 und Kat. Nr. 86.
Datierung: 1645–50

85 Stehende Menschengruppe, darunter eine Frau mit Kind (Abb.).
Schwarze Kreide. In einer Hand des 18. Jahrhunderts beschriftet: J. Rymsdyk's M. (useum). 86 × 81 mm. – HdG. 921; Ben. 717.
London, The British Museum.
Beneschs Datierung um 1646/47 ist durch den stilistischen Vergleich mit der zeitlich gesicherten Bettlerzeichnung Kat. Nr. 86 überzeugend begründet.
Datierung: um 1646/47

86 Bettlerfamilie (Abb.).
Rückseite: Porträtstudie von J. Six für die Radierung H. 228 aus dem Jahre 1647. Schwarze Kreide (Textabb. 24).
Schwarze Kreide. Von einer späteren Hand beschriftet: Rembrandt. 131 × 95 mm. – HdG 1223; Ben. 749.
Amsterdam, Stedelijk Museum, Sammlung Fodor.
Die Bettlerzeichnung schließt sich stilistisch eng an die rückwärtige Porträtstudie von Jan Six an, die für die 1647 datierte Radierung H. 228 angefertigt worden ist.
Datierung: um 1647.

87 Bettlerfamilie (Abb.)
Schwarze Kreide. 105 × 100 mm. – HdG 1456; Ben. 751.
Wien, Albertina.
Benesch setzt das Blatt mit Recht in Beziehung zu der Bettlerzeichnung Kat. Nr. 86, die um 1647 datiert werden kann. Auch sein Hinweis auf die Radierung H. 233 aus dem Jahre 1648 überzeugt.

Das Blatt ist in seiner schlichten Formgebung und der knappen, auf geschlossene Silhouettenwirkung bedachten Linienführung typisch für den Stil Ende der 40er Jahre.
Datierung: um 1647–50

88 Kinderfrau mit Kind auf dem Arm.
Feder in Bister. 110 × 67 mm. – HdG 1518; Ben. 1071.
Moskau, Sammlung Massaloff.
Benesch vermutet wohl mit Recht, daß Kat. Nr. 89 dasselbe Modell wiedergibt.

Die klare, kräftige Figurenbildung und der knappe, breite Federstrich, dessen poröse Struktur der Zeichnung zarte Transparenz verleiht, weisen deutlich in die erste Hälfte der 50er Jahre. Man vergleiche die für das Jahr 1651 gesicherte Zeichnung Ben. 1170 und das von Benesch um 1655/56 datierte Amsterdamer Selbstbildnis (Ben. 1171).
Datierung: um 1650–55

89 Kinderfrau mit Kind auf dem Arm (Abb.).
Feder in Bister; die obere rechte Ecke ergänzt. 78 × 56 mm. – Ben. 1072.
New York, Pierpont Morgan Library.
Vgl. die Bemerkungen zu Kat. Nr. 88. Das Blatt zeigt offenbar dasselbe Modell.
Datierung: um 1650–55

90 Eine Pfannkuchenbäckerin (Abb.).
Feder in Bister. 107 × 92 mm. – Ben. 1153.

Rotterdam, Museum Boymans-van Beuningen, Sammlung F. Koenigs.
Die leicht gespreizte Federführung, die einen spröden, transparenten Strich erzeugt, verbindet das Blatt mit den gesicherten Zeichnungen aus der ersten Hälfte der 50er Jahre, insbesondere mit der um 1651 entstandenen Mädchenstudie (Ben 1170) und mit dem »Homer« (Ben. 913; Textabb. 29) aus dem Jahre 1652. Vgl. auch Kat. Nr. 88, 91.
Datierung: um 1650–55

91 Sitzende Frau, die ein Kind stillt (Abb).
Feder in Bister. 85 × 68 mm. – HdG 1594; Ben. 1073.
Stockholm, Nationalmuseum.
Der leicht gespreizte, lichthafte Federstrich ist charakteristisch für die erste Hälfte der 50er Jahre. Man denke etwa an die 1652 datierte Zeichnung »Homer, Verse skandierend« (Ben. 913; Textabb. 29). Vgl. auch Kat. Nr. 92, 93.
Datierung: um 1650–55

92 Frau, die ihr Kind stillt (Abb.).
Feder in Bister. 63 × 60 mm. – Ben. 707 A (erweiterte Neuauflage durch Eva Benesch, London 1973).
London, Sammlung Riggal.
Das Blatt ist von C. White (Three Drawings by Rembrandt, Master Drawings 2, New York 1963, S. 38f., Abb. 326) veröffentlicht worden.

Der vibrierende, lichterfüllte Strich und die fortgeschrittene Abstraktion in der Figurenbildung verbinden das Blatt mit den Zeichnungen der ersten Hälfte der 50er Jahre, z. B. mit Kat. Nr. 90 und 91.
Datierung: um 1650–55

93 Frau mit einem Kind in den Armen (Abb.).
Feder in Bister; einige Tintenstriche im Hintergrund und die Umrandungslinien von fremder Hand; rechts unten Zahl: 1854. 65 × 50 mm. – HdG 1593; Ben. 1084.
Stockholm, Nationalmuseum.
Das Blatt kann den gesicherten Zeichnungen der ersten Hälfte der 50er Jahre, in erster Linie Ben. 913, angeschlossen werden. Man vergleiche außerdem die von Benesch um 1651 datierte »Heilige Familie« (Ben. 873).

Ferner sei auf die beiden stilverwandten Zeichnungen Kat. Nr. 92 und 94 hingewiesen, die ein ganz ähnliches Mutter-Kind-Motiv wiedergeben.
Datierung: um 1650–55

94 Junge Frau, die ein Kind stillt (Abb.).
Feder in Bister. 142 × 113 mm. – Ben. 1136.
Berlin, Erben Rathenau.
Die zarte, leicht brüchige Strichführung schließt sich an die Zeichnungen der ersten Hälfte des Jahrzehnts an, insbesondere an die 1652 datierte Zeichnung Ben. 913 (Textabb. 29) und an die von Benesch um 1651 angesetzte »Heilige Familie« (Ben. 873), die überdies eine eng verwandte Mutter-Kind-Gruppe aufweist.
Datierung: um 1650–55

95 Frau mit Kind auf dem Arm (Abb.).
Feder in Bister, leicht laviert. 70 × 72 mm. – Ben. 1089.
Madrid, Biblioteca Nacional.
Benesch datiert das Blatt um 1655/56 und stellt es den Zeichnungen Ben.

1088 und Ben. 1164 gegenüber. Er vertritt überzeugend die Ansicht, daß die atmosphärisch-vibrierenden Parallelschraffuren im Hintergrund, mit denen Rembrandt um die Mitte der 50er Jahre seinen transparenten Malstil in zeichnerische Mittel übersetzt, Mantegneske Stileinflüsse verraten. In diesem Zusammenhang verweist Benesch auf die Kopie nach Mantegna (Ben. 1207).

Das Blatt kann in Verbindung mit Kat. Nr. 96 und Ben. 1091 in die zweite Hälfte der 50er Jahre datiert werden. Vgl. die Bemerkungen zu Kat. Nr. 96.
Datierung: um 1655–60

96 Studie von Kopf und Armen eines Kindes (Abb.).
Feder und Lavierung in Tusche. 65 × 52 mm. – HdG 904; Ben. 1090.
London, The British Museum.
Das Blatt kann mit Kat. Nr. 95 und Ben. 1091 zu einer Gruppe zusammengefaßt werden, die von Benesch um 1655/56 angesetzt wird. Die Einordnung dieser Gruppe in die zweite Hälfte der 50er Jahre wird durch die vergleichbaren Stiltendenzen in der Rembrandtschen Malerei dieser Zeit gestützt.

Die dem Papier abgewonnene Leuchtkraft, die schimmernd hinter der Zeichnung hervortritt, kommt den Absichten, die Rembrandt in den Gemälden seit der Mitte der 50er Jahre mit seiner spröden, lasierenden Malweise verfolgt, außerordentlich nahe. Benesch macht mit Recht auf die vergleichbare Pose des jungen Titus in dem Rotterdamer Gemälde (Br. 120; Textabb. 32) aufmerksam.
Datierung: um 1655–60

97 Mutter und Kind, das ein Geschäftchen macht (Abb.).
Feder in Bister, auf bräunlichem Papier. 133 × 90 mm. – HdG 270; Ben. 1140.
Dresden, Staatliche Kunstsammlungen, Kupferstichkabinett.
Das Amsterdamer Rijksprentenkabinet besitzt eine sicher gleichzeitig entstandene Zeichnung nach denselben Modellen (Kat. Nr. 98).

Die betonte, auf monumentale Wirkung zielende Frontalstellung der Figuren erlaubt einen Anschluß an das von Benesch um 1655/56 datierte Selbstbildnis (Ben. 1171). In der Strichweise berührt das Blatt sich mit der Studie Ben. 1095.
Datierung: um 1655–60

98 Mutter und Kind, das ein Geschäftchen macht, links daneben ein Pferdekopf (Abb.).
Rohrfeder in Bister; rechts unten Zahl: 48. 135 × 120 mm. – Ben. Addenda 19.
Amsterdam, Rijksprentenkabinet.
Die Zeichnung ist von J. Q. van Regteren Altena (in: Bulletin van het Rijksmuseum, IV, Nr. 2, 1956, S. 61, Abb. 4) entdeckt und für das Amsterdamer Prentenkabinet angekauft worden. Sie ist wahrscheinlich nach denselben Modellen gezeichnet wie Kat. Nr. 97 (Ben. 1140).

Das Blatt kann zusammen mit Kat. Nr. 97 in die Periode 1655–1660 datiert werden. Vgl. die Bemerkungen zu Kat. Nr. 97.
Datierung: um 1655–60

99 Unterricht im Laufen (Abb.).
Feder in Bister; oben abgerundet. 93 × 152 mm. – Ben. 1169.
London, The British Museum.

Auf der Rückseite befindet sich folgende eigenhändige Notiz: dit voor af te vragen / (vr)agen aen ons beijde oft weijt an de Heeren/(${}^{vr}_{g}$)oede mannen willen laten verblijven ... dan Tijscen (Tijssen) te vragen oft hij niet een / (van) beijden d schilderien/ gelieft opgemaecht te hebben/geen van beijden begerende. (Zitiert nach Benesch.)

In dem Text erwähnt Rembrandt Christoffel Thysz, von dem er sein Haus gekauft hat. Da dieser um 1658 gestorben ist, glaubt Hind (1915, Nr. 81) die Entstehung der rückwärtigen Zeichnung vor 1658 ansetzen zu müssen. Dagegen wendet Benesch mit Recht ein, daß Rembrandt auch ein altes Stück Papier benutzt haben könne.

In der großartigen Vereinfachung der Figurendarstellung kann das Blatt der um 1659/60 entstandenen Zeichnung »Die Ehebrecherin« (Ben. 1047) und der Vorzeichnung für das Gemälde »Die Verschwörung des Claudius Civilis« (Ben. 1061; Textabb. 30) aus dem Jahre 1661 angeschlossen werden. Der breite, lichtgetränkte Zeichenstil, der mit den Ausdrucksformen der späten Rembrandtschen Malerei verwandt ist, hat in diesem Blatt bereits die Schlußphase der Entwicklung erreicht.
Datierung: um 1659–62

Literaturhinweise

Alten, W. von, Rembrandt, Zeichnungen, Berlin 1947.

Bauch, K., Die Kunst des jungen Rembrandt, Heidelberg 1933.

Benesch, O., Rembrandt, Werk und Forschung, Wien 1935 (Nachdruck mit Korrekturen und Erweiterungen von Eva Benesch, Luzern 1970).

Benesch, O., Rembrandt, Selected Drawings, London/New York 1947.

Benesch, O., The Drawings of Rembrandt, A Critical and Chronological Catalogue, 6 Bde., London 1954–57, 2. Aufl., erweitert von Eva Benesch, London 1973.

Benesch, O., Rembrandt als Zeichner, London 1963.

Bernhard, M., Rembrandt, Druckgraphik und Handzeichnungen, 2 Bde., München 1976.

Bock, E. / Rosenberg, J., Staatliche Museen zu Berlin, Die Zeichnungen alter Meister, Bd. I: Die niederländischen Meister, Frankfurt 1931.

Bredius, A., Rembrandt, The Complete Edition of the Paintings, London 1969 (The 1935 Edition Revised by H. Gerson).

Clark, K., Rembrandt and the Italian Renaissance, London 1966.

Drost, W., Adam Elsheimer als Zeichner – Goudts Nachahmungen und Elsheimers Weiterleben bei Rembrandt, Stuttgart 1957.

Dyke, J. C. van, The Rembrandt Drawings and Etchings, New York/London 1927.

Eeghen, I. H. van, De kinderen van Rembrandt en Saskia, in: Amstelodamum, Maandblad voor de kennis van Amsterdam, 43, Amsterdam 1956, S. 144–146.

Fairfax Murray, C., Collection J. Pierpont Morgan, Drawings by the Old Masters, London 1905.

Freise, K. / Lilienfeld, K. / Wichmann, H., Rembrandts Handzeichnungen: Freise-Lilienfeld, Rijksprentenkabinet zu Amsterdam, 3. Aufl. Parchim 1923. – Lilienfeld, Kupferstichkabinett der Staatlichen Museen zu Berlin, Parchim 1922. – Freise-Wichmann, Staatliches Kupferstichkabinett und Sammlung Friedrich August II. zu Dresden, Parchim 1925.

Filedt Kok, J. P., Rembrandt, Etchings & Drawings in the Rembrandt House, A Catalogue, Maarssen (1972).

Gelder, J. G. van, The Drawings of Rembrandt by Otto Benesch, Bd. I – II, in: The Burlington Magazine, 97, 1955, S. 395 f.

Gelder, J. G. van, The Drawings of Rembrandt by Otto Benesch, Bd. III bis VI, in: The Burlington Magazine, 103, 1961, S. 149–151.

Graul, R., Fünfzig Handzeichnungen von Rembrandt, Leipzig 1906.

Haak, B., Rembrandt, sein Leben, sein Werk, seine Zeit, Köln 1969.

Hamann, R., Rembrandt, Berlin 1948.
Haverkamp-Begemann, E., Besprechung von: O. Benesch, Bd. I – VI, in: Kunstchronik, 1961, S. 10–28, 50–57, 85–91.
Hell, H., Die späten Handzeichnungen Rembrandts, I und II, in: Repertorium für Kunstwissenschaft, 51, 1930, S. 4ff. und S. 92ff.
Henkel, M. D., Catalogus van de Nederlandsche Teekeningen in het Rijksmuseum te Amsterdam, Bd. I: Teekeningen van Rembrandt en zijn school, s'Gravenhage 1943.
Hind, A. M., Catalogue of Drawings by Dutch and Flemish Artists in the British Museum, Bd. 1: Drawings by Rembrandt and his School, London 1915.
Hind, A. M., A Catalogue of Rembrandt's Etchings, 2 Bde., London 1923.
Hirschmann, O., Die Handzeichnungensammlung Dr. C. Hofstede de Groot, in: Der Cicerone 9, Leipzig (1917), S. 6ff., S. 199ff.
Hoetink, H. R., Teekeningen van Rembrandt en zijn school, Catalogus van de verzameling in het Museum Boymans-van Beuningen, Bd. 1, Rotterdam 1969.
Hofstede de Groot, C., Die Handzeichnungen Rembrandts, Haarlem 1906.
Hofstede de Groot, C., Urkunden über Rembrandt (1575–1721), Den Haag 1906.
Kauffmann, H., Eine Vorzeichnung Rembrandts zur Dresdener Saskia von 1641, in: Repertorium für Kunstwissenschaft, 41, 1919, S. 34–56.
Kauffmann, H., Zur Kritik der Rembrandtzeichnungen, in: Repertorium für Kunstwissenschaft, 47, Berlin (1926), S. 157ff.
Kleinmann, H., Handzeichnungen alter Meister der holländischen Schule, Haarlem 1894–99.
Kruse, J./Neumann, C., Die Zeichnungen Rembrandts und seiner Schule im National-Museum zu Stockholm, Den Haag 1920.
Lippmann, F., Original Drawings by Rembrandt, Reproduced in the colours of the Originals, 1. Serie, Nr. 1–200, Berlin 1888–92, 2. Serie, Nr. 1–100, Den Haag 1898–1901 (F. Lippmann, fortgeführt von C. Hofstede de Groot), 3. Serie, Nr. 1–100, 4. Serie, Nr. 1–100, Den Haag 1903–11 (C. Hofstede de Groot).
Lugt, F., Les Marques de Collections de Dessins et d'Estampes, Amsterdam 1921.
Lugt, F., Beiträge zu dem Katalog der niederländischen Handzeichnungen in Berlin, in: Jahrbuch der Preußischen Kunstsammlungen, 52, Berlin (1931), S. 56ff.
Lugt, F., Musée du Louvre, Inventaire Général des Dessins des Écoles du Nord, École Hollandaise, Bd. 3: Rembrandt et ses Élèves, Paris 1933.
Michel, E., Les Dessins de Rembrandt, in: L'Art, 49, Paris 1890, S. 41ff., S. 81ff.
Michel, E., Rembrandt, sa Vie, son Oeuvre et son Temps, Paris 1893.
Mongan, A. / Sachs, P. J., Drawings in the Fogg Museum of Art, Cambridge / Mass. 1948.

Münz, L., Rembrandt's Etchings, A Critical Catalogue, 2 Bde., London 1952.
Neumann, C., Aus der Werkstatt Rembrandts, in: Heidelberger kunstgeschichtliche Abhandlungen, 3. Bd., Heidelberg 1918.
Neumann, C., Rembrandt, Handzeichnungen, München 1921.
Original Drawings by Rembrandt in the Collection of J. P. Heseltine, London 1907.
Regteren Altena, J. Q. van, Besprechung von: O. Benesch, Bd. I–II, in: Oud Holland, LXX, II (1955), S. 118–120.
Rentsch, E., Der Humor bei Rembrandt, in: Studien zur deutschen Kunstgeschichte, 110, Straßburg 1909.
Rijckevorsel, J. van, Rembrandt en de traditie, Rotterdam 1932.
Rosenberg, J., Rembrandt, 2 Bde., Harvard University Press, Cambridge / Mass. 1948, (Revised Edition, London 1964).
Rosenberg, J., Rembrandt the Draughtsman, with Consideration of the Problem of Authenticity, in: Daedalus, 86, 1956, S. 122 ff.
Rosenberg, J., Besprechung von: O. Benesch, Bd. I–II, in: The Art Bulletin, 38, New York (1956), S. 63–70.
Rosenberg, J., Besprechung von: O. Benesch, Bd. III–VI, in: The Art Bulletin 41, New York (1959), S. 108–119.
Russel, M., The iconography of Rembrandt's Rape of Ganymed, Simiolus 9, 1977, S. 5 ff.
Saxl, F., Zu einigen Handzeichnungen Rembrandts, in: Repertorium für Kunstwissenschaft, 31, 1908, S. 227 ff., S. 336 ff.; Bemerkungen zu den Münchener Rembrandtzeichnungen, ebd., S. 531 ff.
Scheidig, W., Rembrandt als Zeichner, Leipzig 1962, 3. Aufl. Leipzig 1976.
Schinnerer, A., Rembrandt, Zeichnungen, München 1944.
Schmidt, W., Handzeichnungen alter Meister im königlichen Kupferstichkabinett zu München, München 1884–93.
Schmidt-Degener, F., Tentoonstelling van Rembrandts teekeningen in de Bibliothèque Nationale te Parijs, in: Onze Kunst 1908, II, S. 97.
Schönbrunner, J. / Meder, J., Handzeichnungen alter Meister aus der Albertina, 12 Bde., Wien 1896 ff., N. F. I, 1922, Bd. 1 ff.
Seidlitz, W. von, Rembrandts Zeichnungen, in: Repertorium für Kunstwissenschaft, 17, Berlin/Stuttgart 1894, S. 116–127.
Seidlitz, W. von, Die Sammlung der Rembrandt-Zeichnungen von C. Hofstede de Groot im Haag, Zeitschrift für bildende Kunst, N. F. 28, Leipzig (1917), S. 246 ff.
Slive, S., Drawings of Rembrandt, 2 Bde., New York 1965.
Sumowski, W., Bemerkungen zu Otto Beneschs Corpus der Rembrandt-Zeichnungen I, in: Wissenschaftliche Zeitschrift der Humboldt-Universität zu Berlin, VI, 1956/57, S. 255–281.
Sumowski, W., Bemerkungen zu Otto Beneschs Corpus der Rembrandt-Zeichnungen II, Bad Pyrmont 1961.
Sumowski, W., Drawings of the Rembrandt School, Bd. 1, New York 1979.

Terey, G. von, Zeichnungen von Rembrandt Harmensz. van Rhijn im Budapester Museum der Bildenden Künste, Leipzig 1909.
Valentiner, W. R., Rembrandt und seine Umgebung, in: Zur Kunstgeschichte des Auslandes, 29, Straßburg (1905).
Valentiner, W. R., Aus Rembrandts Häuslichkeit, in: Jahrbuch für Kunstwissenschaft, 1, Leipzig (1923), S. 277 ff.
Valentiner, W. R., Rembrandt, des Meisters Handzeichnungen, 2 Bde., Stuttgart 1925 und 1934 (Klassiker der Kunst, Bd. 31 und 32).
Valentiner, W. R., Komödiantendarstellungen Rembrandts, Zeitschrift für bildende Kunst, 59, Leipzig (1925/26), S. 265 ff.
Vogel-Köhn, D., Rembrandts Kinderzeichnungen, Phil. Diss. Würzburg 1974.
Wegner, W., Katalog der Staatlichen Graphischen Sammlung München, Die niederländischen Handzeichnungen des 15.–18. Jahrhunderts, 2 Bde., Berlin 1973.
Weisbach, W., Rembrandt, Berlin 1926.
White, C., The Drawings of Rembrandt, The British Museum, London 1966 (2. Aufl.).
Wichmann, H., Rembrandt-Zeichnungen, Leipzig 1940.
Woermann, K., Handzeichnungen alter Meister im königlichen Kupferstichkabinett zu Dresden, München 1896–98.

Fotonachweis

Basel, Kunstmuseum Textabb. 10
Berlin (West), Staatliche Museen Preußischer Kulturbesitz Textabb. 3, 5
Kassel, Staatliche Kunstsammlungen Textabb. 27
Köln, Archiv DuMont Buchverlag Textabb. 1, 2, 4, 6, 8, 12–16, 18, 21–26, 28–32; sämtliche Abbildungsvorlagen des geschlossenen Bildteils
London, The British Museum Textabb. 9
München, Bayerische Staatsgemäldesammlungen Textabb. 7
Paris, Documentation photographique de la Réunion des musées nationaux Textabb. 19
Paris, Institut Néerlandais Textabb. 17
Stockholm, Nationalmuseum Textabb. 11

DuMont Taschenbücher